Notre Ange Gardien existe

HAZIEL

Notre Ange Gardien existe

Connaître son Nom et sa Prière
pour bénéficier
de son aide toute-puissante
(Amour, Santé, Argent, Travail, Intelligence, Sagesse)

Éditions Bussière
34, rue Saint-Jacques
75005 Paris

ISBN 2-85090-100-8

PRIÈRES A NOS ANGES GARDIENS :
DES RÉSULTATS SPECTACULAIRES IMMÉDIATS

Dans toutes les civilisations a existé la croyance en la réalité d'Entités Supérieures qui aidaient les Humains, lorsque ceux-ci en faisaient la demande.

La Tradition Ésotérique nous apprend, de façon concrète, qu'il existe neuf Chœurs d'Anges, dirigés chacun par un Archange, et composés de huit Anges Gardiens.

Chacun de ces Anges Gardiens a son **domicile** dans un espace qui comprend **5 degrés** (5 jours) du Zodiaque ; de façon que les personnes nées dans ces **5 degrés-jours** aient cet Ange comme **ANGE GARDIEN,** guide, tuteur et protecteur.

Chacun des **Anges gardiens** peut se dédoubler à l'infini tout en conservant une même identité et une même volonté. L'Ange Hahahel a dit : « Nous sommes multiples mais à volonté **unique,** comme le Seigneur ». Et lorsqu'une apparence a rempli la mission, pour laquelle elle a été créée, elle revient, de nouveau, à son origine. Leur nature est de nous accorder ce que nous leur demandons par la **PRIÈRE.**

L'AFFIRMATION DE JÉSUS,
ET DE TOUS LES PROPHÈTES :
« DEMANDEZ ET L'ON VOUS DONNERA »,
N'EST PAS UNE FABLE!

Il suffit de formuler une **PRIÈRE** pour que les Entités Supérieures se mobilisent, afin de donner pleine et entière satisfaction à la personne. Car une Loi Cosmique oblige aux **grands** de répondre, toujours, positivement, aux demandes des **petits.** Surtout si ces demandes concernent notre bien-être matériel, montrant ainsi que l'Eau Vive (que notre Ange Gardien souhaite nous offrir) nous fait défaut ; cette Eau Vive des Anges Gardiens*.

Par la **PRIÈRE,** notre Entité Humaine devient réceptrice. Dès lors notre Ange Gardien a la possibilité de nous transmettre sa **Lumière** et ses **Pouvoirs.**

Nous pouvons demander à **notre** Ange Gardien autant ses **pouvoirs** que ceux concernant d'autres Anges Gardiens, car il est chargé, tout aussi bien, de les transmettre.

Nous sommes reliés avec notre Ange Gardien, chaque fois que nous lui adressons la Prière le concernant. Mais, si, de 5 Jours en 5 Jours, nous adressons les Prières aux différents Anges, nous obtiendrons **tous les pouvoirs, tous les dons.**

---

* Cette Eau Vive des Anges Gardiens, à même d'apporter des solutions à tous nos problèmes, et de satisfaire tous nos souhaits.

LES SAINTS NOMS
DES ANGES GARDIENS

Les **Noms-Titres,** des différents Chœurs d'Anges Gardiens (Séraphins, Chérubins, Trônes, etc.), sont symboliques. Tout comme nous nous nommons François sans être saint François, ou Marie, ou Sophie, sans être sainte Marie ou sainte Sophie, les **Anges Gardiens** appartiennent **tous** (quel que soit le Chœur dont ils font partie) au Règne des Anges, plus élevé que celui des Humains, tout comme celui-ci, est plus élevé que le Règne Animal, lequel est plus élevé que celui des Végétaux, et ce dernier plus élevé que celui des Minéraux...

LES ARCHANGES (ou Anges Supérieurs) sont des Forces Conscientes (des Entités) qui canalisent les différentes **énergies** du Système Solaire. Ces **énergies** sont partagées (en 72 morceaux) par les **Anges Gardiens,** afin que chaque personne (si elle le souhaite) puisse les assimiler sans difficulté. Les **Anges Gardiens** sont une sorte de **chauffeurs-livreurs** de l'espace, porteurs d'énergies, et responsables du matériel (énergétique) qu'ils nous délivrent.

LE SEXE DES ANGES. Tout, dans l'Univers, a un pôle positif et un pôle négatif (mâle et femelle) ; c'est la base de toute création, de toute la Création Universelle. Il n'y a pas d'exception à cette règle. Ainsi, les **Anges Gardiens** qui portent le Nom de

Dieu dans son sens masculin (**EL**), sont des Anges avec les caractéristiques cosmiques masculines ; et, les **Anges Gardiens** qui portent le Nom de Dieu dans son sens féminin (**IAH**), sont des Anges avec des caractéristiques cosmiques féminines.

Chaque Ange Gardien nous transmet des Forces bien déterminées ; celles qui émanent des **degrés** du Zodiaque qu'il régit, à partir de son **domicile,** et celles qui émanent de l'Archange régissant le Chœur Angélique auquel l'Ange Gardien appartient.

La **Prière** est un acte sur-naturel, qui élève la condition humaine.

Elle nous permet de rejoindre des Êtres Supérieurs, pour **dialoguer** avec Eux, afin de nous dégager des préoccupations immédiates, de recevoir d'Eux les pouvoirs et les dons de progresser spirituellement, moralement et matériellement.

UTILITÉ DE PRENDRE
LE NOM D'UN ANGE,
COMME DEUXIÈME PRÉNOM

En plus de notre Prénom habituel, il est utile de prendre, comme deuxième Prénom, le Nom de notre Ange Gardien, ou de l'Ange qui favorise le mieux nos projets. Nous pouvons, également, attribuer à nos enfants, lors du baptême ou, à un autre moment, le Nom de leur Ange Gardien, ou celui de l'Ange qui, par les dons et pouvoirs qu'il accorde, favorise les projets que nous avons à leur égard. Si nous sommes Parrains, nous pouvons aussi apporter, cette grâce providentielle à nos filleuls. Les Églises acceptent ce fait, en ce qui concerne les Noms des Archanges et des Anges les plus usités (Michel, Daniel, Raphaël, Gabriel...) mais, pour les autres, un Prénom **composé** est demandé, comme : Miléna-Arielle, Laure-Nithaël, Laurent-Umabel, Marie-Danielle, Roger-Raziel ; ou François-Haziel, comme il en est pour l'auteur de ce Livre.

RIEN, ABSOLUMENT RIEN, N'EST IMPOSSIBLE
À LA VOLONTE DÉCIDÉE
À AGIR AVEC SON ANGE GARDIEN

L'ARBRE DE VIE
DES ARCHANGES ET DES ANGES

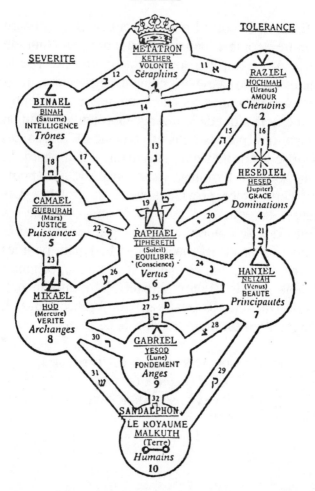

LES 9 CHŒURS
DES ANGES GARDIENS

SERAPHINS ♆ Métatron	CHERUBINS ♅ Raziel	TRONES ♄ Binaël
1 Véhuiah ♅	9 Haziel ♅	17 Lauviah ♅
2 Jéliel ♄	10 Aladiah ♄	18 Caliel ♄
3 Sitael ♃	11 Lauviah ♃	19 Leuviah ♃
4 Elémiah ♂	12 Hahaiah ♂	20 Pahaliah ♂
5 Mahasiah ☉	13 Iézalel ☉	21 Nelchael ☉
6 Lélahel ♀	14 Mébahel ♀	22 Yéiayel ♀
7 Achaiah ☿	15 Hariel ☿	23 Mélahel ☿
8 Cahétel ☽	16 Hékamiah ☽	24 Hahéuiah ☽

DOMINATIONS ♃ Hésédiel	PUISSANCES ♂ Camaël	VERTUS ☉ Raphaël
25 Nithaiah ♅	33 Yéhuiah ♅	41 Hahahel ♅
26 Haaiah ♄	34 Léhahiah ♄	42 Mikaël ♄
27 Yératel ♃	35 Chavaquiah ♃	43 Véuliah ♃
28 Séhéiah ♂	36 Ménadel ♂	44 Yélaiah ♂
29 Reiyel ☉	37 Aniel ☉	45 Séhaliah ☉
30 Omaël ♀	38 Haamiah ♀	46 Ariel ♀
31 Lecabel ☿	39 Réhael ☿	47 Asaliah ☿
32 Vasariah ☽	40 Iéiazel ☽	48 Mihaël ☽

PRINCIPAUTES ♀ Haniel	ARCHANGES ☿ Mikaël	ANGES ☽ Gabriel
49 Véhuel ♅	57 Némamiah ♅	65 Damabiah ♅
50 Daniel ♄	58 Yéialel ♄	66 Manakel ♄
51 Hahasiah ♃	59 Harael ♃	67 Eyael ♃
52 Imamiah ♂	60 Mitzrael ♂	68 Habuhiah ♂
53 Nanael ☉	61 Umabel ☉	69 Rochel ☉
54 Nithael ♀	62 Iahhel ♀	70 Jabamiah ♀
55 Mébahiah ☿	63 Anauel ☿	71 Haiaiel ☿
56 Poyel ☽	64 Méhiel ☽	72 Mumiah ☽

NOTRE ANGE GARDIEN

Chaque **Ange Gardien** gouverne 5 degrés du Zodiaque, ainsi que les **5 Jours de l'Année** qui correspondent à ces degrés. Les personnes nées pendant ces 5 Jours, ont cet Ange pour **Ange Gardien**.

Noms des ANGES GARDIENS des personnes nées aux dates indiquées :

* Chœur des Séraphins (Archange Métatron)

1 – Personnes nées entre le 21 et le 25 mars :
          Ange Gardien **VÉHUIAH**
2 – Personnes nées entre le 26 et le 30 mars :
          Ange Gardien **JELIEL**
3 – Personnes nées entre le 31 mars et le 4 avril :
          Ange Gardien **SITAEL**
4 – Personnes nées entre le 5 et le 9 avril :
          Ange gardien **ÉLÉMIAH**
5 – Personnes nées entre le 10 et le 14 avril :
          Ange Gardien **MAHASIAH**
6 – Personnes nées entre le 15 et le 20 avril :
          Ange Gardien **LÉLAHEL**
7 – Personnes nées entre le 21 et le 25 avril :
          Ange Gardien **ACHAIAH**
8 – Personnes nées entre le 26 et le 30 avril :
          Ange Gardien **CAHETEL**

* Chœur des Chérubins (Archange Raziel)

9 – Personnes nées entre le 1er et le 5 mai :
Ange Gardien **HAZIEL**

10 – Personnes nées entre le 6 et le 10 mai :
Ange Gardien **ALADIAH**

11 – Personnes nées entre le 11 et le 15 mai :
Ange Gardien **LAUVIAH**

12 – Personnes nées entre le 16 et le 20 mai :
Ange Gardien **HAHAIAH**

13 – Personnes nées entre le 21 et le 25 mai :
Ange Gardien **IEZALEL**

14 – Personnes nées entre le 26 et le 31 mai :
Ange Gardien **MEBAHEL**

15 – Personnes nées entre le 1er et le 5 juin :
Ange Gardien **HARIEL**

16 – Personnes nées entre le 6 et le 10 juin :
Ange Gardien **HEKAMIAH**

* Chœur des Trônes (Archange Binaël)

17 – Personnes nées entre le 11 et le 15 juin :
Ange Gardien **LAUVIAH**

18 – Personnes nées entre le 16 et le 21 juin :
Ange Gardien **CALIEL**

19 – Personnes nées entre le 22 et le 26 juin :
Ange Gardien **LEUVIAH**

20 – Personnes nées entre le 27 juin et le 1er juillet :
Ange Gardien **PAHALIAH**

21 – Personnes nées entre le 2 et le 6 juillet :
Ange Gardien **NELCHAEL**
22 – Personnes nées entre le 7 et le 11 juillet :
Ange Gardien **YEIAYEL**
23 – Personnes nées entre le 12 et le 16 juillet :
Ange Gardien **MELAHEL**
24 – Personnes nées entre le 17 et le 22 juillet :
Ange Gardien **HAHEUIAH**

* Chœur des Dominations (Archange Hésediel)

25 – Personnes nées entre le 23 et le 27 juillet :
Ange Gardien **NITHAIAH**
26 – Personnes nées entre le 28 juillet et le 1er août :
Ange Gardien **HAAIAH :**
27 – Personnes nées entre le 2 et le 6 août :
Ange Gardien **YERATEL**
28 – Personnes nées entre le 7 et le 12 août :
Ange Gardien **SEHEIAH**
29 – Personnes nées entre le 13 et le 17 août :
Ange Gardien **REIYEL**
30 – Personnes nées entre le 18 et le 22 août :
Ange Gardien **OMAEL**
31 – Personnes nées entre le 23 et le 28 août :
Ange Gardien **LECABEL**
32 – Personnes nées entre le 29 août et le 2 septembre : Ange Gardien **VASARIAH**

* Chœur des Puissances (Archange Camaël)

33 – Personnes nées entre le 3 et le 7 septembre :
Ange Gardien **YEHUIAH**

34 – Personnes nées entre le 8 et le 12 septembre :
Ange Gardien **LEHAHIAH**

35 – Personnes nées entre le 13 et le 17 septembre :
Ange Gardien **CHAVAQUIAH**

36 – Personnes nées entre le 18 et le 23 septembre :
Ange Gardien **MENADEL**

37 – Personnes nées entre le 24 et le 28 septembre :
Ange Gardien **ANIEL**

38 – Personnes nées entre le 29 septembre et le 3 octobre : Ange Gardien **HAAMIAH**

39 – Personnes nées entre le 4 et le 8 octobre :
Ange Gardien **REHAEL**

40 – Personnes nées entre le 9 et le 13 octobre :
Ange Gardien **IEIAZEL**

* Chœur des Anges Solaires ou Anges Vertus (Archange Raphaël)

41 – Personnes nées entre le 14 et le 18 octobre :
Ange Gardien **HAHAHEL**

42 – Personnes nées entre le 19 et le 23 octobre :
Ange Gardien **MIKAEL**

43 – Personnes nées entre le 24 et le 28 octobre :
Ange Gardien **VEULIAH**

44 – Personnes nées entre le 29 octobre et le 2 novembre : Ange Gardien **YELAIAH**

45 – Personnes nées entre le 3 et le 7 novembre :
Ange Gardien **SEHALIAH**

46 – Personnes nées entre le 8 et le 12 novembre :
Ange Gardien **ARIEL**

47 – Personnes nées entre le 13 et le 17 novembre :
Ange Gardien **ASALIAH**

48 – Personnes nées entre le 18 et le 22 novembre :
Ange Gardien **MIHAEL**

* Chœur des Principautés (Archange Haniel)

49 – Personnes nées entre le 23 et le 27 novembre :
Ange Gardien **VEHUEL**

50 – Personnes nées entre le 28 novembre et le 2 décembre : Ange Gardien **DANIEL**

51 – Personnes nées entre le 3 et le 7 décembre :
Ange Gardien **HAHASIAH**

52 – Personnes nées entre le 8 et le 12 décembre :
Ange Gardien **IMAMIAH**

53 – Personnes nées entre le 13 et le 16 décembre :
Ange Gardien **NANAEL**

54 – Personnes nées entre le 17 et le 21 décembre :
Ange Gardien **NITHAEL**

55 – Personnes nées entre le 22 et le 26 décembre :
Ange Gardien **MÉBAHIAH**

56 – Personnes nées entre le 27 et le 31 décembre :
Ange Gardien **POYEL**

* Chœur des Anges-Archanges (Archange Mikaël)

57 – Personnes nées entre le 1er et le 5 janvier :
Ange Gardien **NEMAMIAH**
58 – Personnes nées entre le 6 et le 10 janvier :
Ange Gardien **YEIALEL**
59 – Personnes nées entre le 11 et le 15 janvier :
Ange Gardien **HARAEL**
60 – Personnes nées entre le 16 et le 20 janvier :
Ange Gardien **MITZRAEL**
61 – Personnes nées entre le 21 et le 25 janvier :
Ange Gardien **UMABEL**
62 – Personnes nées entre le 26 et le 30 janvier :
Ange Gardien **IAHHEL**
63 – Personnes nées entre le 31 janvier et le
4 février : Ange Gardien **ANAUEL**
64 – Personnes nées entre le 5 et le 9 février :
Ange Gardien **MÉHIEL**

* Chœur des Anges-Anges (Archange Gabriel)

65 – Personnes nées entre le 10 et le 14 février :
Ange Gardien **DAMABIAH**
66 – Personnes nées entre le 15 et le 19 février :
Ange Gardien **MANAKEL**
67 – Personnes nées entre le 20 et le 24 février :
Ange Gardien **EYAEL**
68 – Personnes nées entre le 25 et le 29 février :
Ange Gardien **HABUHIAH**

69 – Personnes nées entre le 1er et le 5 mars :
Ange Gardien ROCHEL

70 – Personnes nées entre le 6 et le 10 mars :
Ange Gardien JABAMIAH

71 – Personnes nées entre le 11 et le 15 mars :
Ange Gardien HAIAIEL

72 – Personnes nées entre le 16 et le 20 mars :
Ange Gardien MUMIAH

L'ANGE GARDIEN est toujours bienveillant, avec un intense désir de nous servir. Les Anges Gardiens travaillent à la réussite de l'**œuvre divine**; à celle des Humains créés à l'image et à la ressemblance de Dieu. Nous devons nous adresser à notre **Ange Gardien** en toute confiance, comme à un véritable ami. Après la lecture de sa **PRIÈRE,** nous lui dirons : « Seigneur Tout-Puissant : je t'adresse cette **Prière** et je t'invoque pour t'exposer mon souhait, mon projet, mon désir... » Et nous expliquerons à notre **Ange Gardien** le sujet de notre demande. Ensuite nous lui demanderons de nous insuffler la meilleure façon d'agir pour obtenir des résultats concrets. Les demandes de biens matériels ou d'amour humain, sont aussi du ressort de l'**Ange Gardien** car le Monde que Dieu a créé (et qu'il souhaite voir réussir, comme tout créateur), est le Monde Physique, **MATÉRIEL.**

LES RYTHMES DU CIEL
ET LES JOURS DE LA SEMAINE

La vie humaine est modulée, régie, par des **rythmes** ; qu'il s'agisse de la respiration, de la digestion, ou des périodes d'activité et de sommeil. Il en est de même dans le Cosmos, pour les étoiles, les constellations ou les galaxies. Certes les **dons et pouvoirs** offerts par nos **ANGES GARDIENS** sont à la portée de tous, mais nous vivons dans un Univers **ordonné** (« Cosmos » signifie « **ordre rythmé** »), et même l'ordonnancement de notre vie sociale n'est rien d'autre qu'une copie (défigurée) de l'ordre qui règne dans les Mondes **d'en Haut.** Ce qui veut dire que nous n'avons pas la possibilité de recevoir les bienfaits providentiels de nos **ANGES,** à toute heure, mais seulement à certains moments, certains jours très précis.

Cependant nous pouvons nous relier à notre ANGE GARDIEN, par la PRIÈRE, et recevoir ainsi de lui tous ses dons et pouvoirs, à tout moment, toujours, en toute circonstance.

Pour obtenir les dons et pouvoirs des autres Anges Gardiens, nous devrons leur adresser nos Prières selon le **rythme** suivant :

Dimanche : Anges Gardiens faisant partie du Chœur des Séraphins, du Chœur des Chérubins, et du Chœur des Vertus

Lundi : Anges Gardiens faisant partie du Chœur des Anges.

Mardi : Anges Gardiens faisant partie du Chœur des Puissances.

Mercredi : Anges Gardiens faisant partie du Chœur des Archanges.

Jeudi : Anges Gardiens faisant partie du Chœur des Dominations.

Vendredi : Anges Gardiens faisant partie du Chœur des Principautés.

Samedi : Anges Gardiens faisant partie du Chœur des Trônes.

SOMMAIRE DES ANGES
à qui adresser nos PRIÈRES
en plus de notre Ange Gardien,
pour obtenir des résultats sur des points précis

Concernant l'**AMOUR :** Sitael-3, Mahasiah-5, Lélael-6, Haziel-9, Aladiah-10, Lauviah-11, Hahaiah-12, Iézalel-13, Hariel-15, Lauviah-17, Caleil-18, Leuviah-19, Nelkhael-21, Mélahel-23, Yératel-27, Omael-30, Chavakiah-35, Aniel-37, Réhael-39, Mikaël (Ange)-42, Asaliah-47, Mihaël-48, Imamiah-52, Poyel-56, Umabel-61, Iah-Hel-62, Manakel-66, Mumiah-72.

Concernant l'**ARGENT** : Élémiah-4, Lélahel-6, Ahcaiah-7, Cahétel-8, Mebahel-14, Hakamiah-16, Leuviah-19, Yéialel-22, Mélahel-23, Haaiah-26, Lékabel-31, Léhaiah-34, Ménadel-36, Véuliah-43, Nithael-54, Poyel-56, Mémaiah-57, Harahel-59, Anael-63, Damabiah-65, Manakel-66, Rochel-69, Mumiah-72.

Concernant la **SANTÉ et la GUÉRISON (physique et morale)** : Véhuiah-1, Lélahel-6, Aladiah-10, Lauviah-17, Mélahel-23, Séheiah-28, Omael-30, Réhael-39, Séhaliah-45, Daniel-50, Hahasiah-51, Nanael-53, Nithael-54, Poyel-56, Yéialel-58, Mitzrael-60, Anauel-63, Manakel-66, Eyael-67, Habuhiah-68, Jamabiah-70, Mumiah-72.

Concernant le **TRAVAIL et l'EMPLOI** : Véhuiah-1, Jéliel-2, Élémiah-4, Ahcaiah-7, Iézalel-13, Hariel-15, Hakamiah-16, Lecabel-31, Yéhuiah-33, Menadel-36, Réhael-39, Mikaël (Ange)-42, Séhaliah-45, Mitzraël-60, Mumiah-72.

DONS ET POUVOIRS
ACCORDÉS À CHAQUE PERSONNE PAR SON ANGE GARDIEN

LES ANGES GARDIENS DU CHŒUR DES SÉRAPHINS

1 — VÉHUIAH

*Ange Gardien des personnes nées
entre le 21 et le 25 mars*

Cet Ange représente et régit le pouvoir de l'Amour et de la Sagesse. Il accorde le succès à toute **nouvelle** création. Il fait réussir les examens, les concours, et les demandes d'emplois **nouveaux.** Il accorde l'énergie voulue pour en finir avec la maladie ou la dépression. Il est si puissant que ses **protégés** réussiront tout ce qu'ils entreprendront. Ce Gardien veille aussi à ce que la personne soit aimée, comme s'il s'agissait d'un premier amour.

PRIÈRE A L'ANGE GARDIEN

VÉHUIAH : fais qu'en moi, tes pouvoirs s'enraci-
    nent,
fais que je sois le porte-drapeau, le premier, le héros
celui qui, par ta grâce, fait avancer les Humains.
Fais pénétrer en moi ta surabondante énergie,
avec laquelle on fait des miracles.
Libère-moi, Seigneur, de la turbulence et de la
    colère,
et permets-moi de trouver un réceptable
approprié pour manifester tes dons.
Transmets-moi ta sagacité, ta subtilité
pour que je puisse entendre, ta Voix Divine,
et pour que je puisse contempler
la sublime splendeur de ton Image.
Ô VÉHUIAH ! sois le Forgeron, je serai l'enclume
sois le Souffleur, je serai le cristal
sois l'Alchimiste, je serai le creuset.
Je veux être Feu de ton Feu, Lumière de ta
    Lumière.

2 — JELIEL

*Ange Gardien des personnes nées
entre le 26 et le 30 mars*

Cet Ange représente et régit le pouvoir de **concrétisation** et de **solidification** de n'importe quelle réalité. Il accorde la **solidité,** la tranquillité paisible, la fécondité (végétale, animale et humaine), la fidélité du conjoint, l'obéissance des enfants. Il fait gagner les procès, et annule tout litige, toute querelle, tout divorce. Fait réussir dans des activités concernant le bâtiment, l'immobilier, les ciments, les textiles, l'agriculture ; et également aide à l'avancement dans la police, dans l'administration locale et dans la diplomatie.

* Les pouvoirs conférés par les Anges Gardiens sont à la portée de nous tous, mais nous vivons dans un Univers **ordonné.** L'ordre même de notre vie sociale, quotidienne, n'est rien d'autre qu'une copie (défigurée) de l'ordre existant dans les Mondes d'en Haut. Ceci pour dire que nous pouvons nous **approvisionner** en énergie auprès de notre Ange Gardien, à volonté et à toute heure. Mais, nous devons solliciter les grâces et pouvoirs conférés par les autres Anges Gardiens, soit au travers de notre propre Ange Gardien, soit directement aux autres Anges, **pendant les 5 Jours de leurs Régences.**

PRIÈRE A L'ANGE GARDIEN

JELIEL : Prête-moi aide et assistance,
Seigneur de la Lumière resplendissante
pour que je puisse éloigner la confusion
et faire régner la clarté.
Permets-moi, Seigneur JELIEL
de garder toujours mes pensées propres,
droites ; claires et sans déviations.

Je veux être celui qui, grâce à ton pouvoir,
donne un conseil utile et désintéressé,
toujours constructif.
Fais que la voix qui jaillit du fond de ma conscience
dirige ma vie, et la maîtrise
comme le cavalier domine son cheval,
afin que ma raison domine mes instincts.

Accorde-moi ta Lumière et ta grâce,
pour qu'à tout moment, et en tout lieu,
je sois utile aux autres et à moi-même.

3 — SITAEL

Ange Gardien des personnes nées
entre le 31 mars et le 4 avril

Cet Ange, troisième du Chœur des Séraphins représente et régit le pouvoir **d'expansion,** le don de **tout faire fructifier.** Il confère à ses **protégés** un grand idéalisme, en même temps qu'un très utile sens pratique. Ce qui veut dire que toutes leurs idées (tous leurs idéaux) pourront se réaliser. La personne ne doit pas se limiter à émettre des idées, car elle aura les moyens de les réaliser. On peut faire appel à cet Ange pour vaincre toute difficulté, toute adversité ; pour que les puissants soient magnanimes et généreux envers nous. Succès assuré dans des activités industrielles, ou dans le bâtiment. Les promesses faites seront tenues. Réussite aussi dans le domaine des Lois. Par la **Prière** à cet Ange Gardien, **notre Karma peut-être totalement éliminé.**

PRIÈRE A L'ANGE GARDIEN

SITAEL : permets-moi, Seigneur, de reconnaître
ceux qui, jadis, ont été mes frères,
mes amis, mes partenaires, mes adversaires...
ceux que j'ai aimés, ceux que j'ai haïs,
pour créer, ensemble, un espoir nouveau.
Place-moi, **Sitael,** au cœur du conflit,
dans l'œil du cyclone, pour que ton Amour,
qui coule dans mon imagination
soit l'heureux dissolvant
qui dissipe les vents violents
les tempêtes, les ouragans et les affrontements.
Sitael, fais de moi un homme fidèle :
fidélité envers ceux d'en Haut
fidélité envers ceux d'en Bas.
Fais que je sois l'homme du juste équilibre,
dans les positions qui s'affrontent.
Ne me laisse pas tomber dans la tentation
d'être à côté des uns, ou à côté des autres.
En tout lieu, et à tout instant,
fais de moi, Seigneur,
un être porteur d'espoir !

4 — ÉLÉMIAH

*Ange Gardien des personnes nées
entre le 5 et 9 avril*

Cet Ange accorde à ses **protégés** le pouvoir de **réparation**; restauration des rythmes, des règles de fonctionnement de toute chose. On peut l'invoquer pour en finir avec une mauvaise période, et pour en commencer une heureuse. Toute préoccupation, tout tourment, doit disparaître. L'invoquer également pour éviter tout excès, toute négligence ou manque d'attention dans la conduite automobile, et dans les voyages en général. D'anciens adversaires pourront devenir amis. On pourra découvrir ce qui nous conduira vers le bonheur, vers l'aisance économique; peut-être par la création d'un atelier de réparation automobile. Quoi qu'il en soit, cet Ange accorde le succès dans la vie professionnelle, et on peut grâce à lui avoir accès à des postes de responsabilité et de commande. Les **protégés** de cet Ange accumuleront, en lui adressant la Prière indiquée, richesse et, surtout, **pouvoir**.

PRIÈRE A L'ANGE GARDIEN

ÉLÉMIAH : Seigneur qui cache son visage
dans l'engrenage des affaires humaines :
si ton doigt, puissant, m'a désigné, moi
pour modeler ta glaise,
protège-moi, aide-moi, et ne permets pas
que, dans les yeux du Monde, je m'avilisse.
Fais-moi découvrir l'éternelle source
de ta Lumière et de ton Amour.
Suis mes pas, **ÉLÉMIAH,** mon Ange et mon Guide,
et ne permets pas qu'une excessive ambition
s'empare de moi ; ne permets pas qu'un trop lourd
　karma
tombe sur moi, comme une chape de plomb.
Lorsque je saurai, lorsque je comprendrai,
lorsque ta face occulte me sera révélée,
mon amour grand, immense, comme une flèche
s'envolera vers Lui, vers Elle, vers Tous, vers Toi !

5 — MAHASIAH

*Ange Gardien des personnes nées
entre le 10 et le 14 avril*

Cet Ange Gardien accorde l'**équilibre,** l'apaisement, malgré un fort désir (inné) de commander
d'avoir à raison tout prix. Possibilité de réconcilier
plusieurs personnes, ou de faire la paix avec tout le
monde. Incitations à apprendre, dont on peut profiter pour intégrer rapidement des connaissances, par
exemple dans le domaine des langues étrangères, où
tout autre domaine susceptible d'améliorer notre
existence. Possibilité aussi, par la Prière à cet Ange
Gardien, d'améliorer son caractère, et par conséquent son aspect physique, très attirant. Rêves
prémonitoires, compréhension du **message** des petits
faits quotidiens. Plaisirs et jouissances des choses
simples. Réussir ses examens, trouver un emploi,
une place de responsble. Tout cela peut être obtenu
rapidement de cet Ange Gardien, par la Prière.

PRIÈRE A L'ANGE GARDIEN

MAHASIAH : Ne permets pas que les vertus,
et les pouvoirs que tu déposes dans mon âme,
deviennent des obstacles à mon évolution.
Fais que je comprenne, **MAHASIAH,**
qu'avant de réussir, je doive me réconcilier
avec ceux qui ont été jadis,
mes compagnons de Vie (amis ou adversaires).
Aide-moi Seigneur, à dépasser les épreuves,
afin que je ne m'identifie pas à la tribulation.
Et, lorsque tes énergies auront nettoyé
tous les recoins de mon âme,
Accepte-moi, Seigneur, comme ton ministre sur
Terre ;
comme porteur de l'Amour, de la Paix,
et de la Richesse (morale et matérielle)
que tu représentes, et que tu m'accordes.

6 — LELAHEL

*Ange Gardien des personnes nées
entre le 15 et le 20 avril*

Ce Gardien dispose du pouvoir vénusien, **pluriva-
lent,** d'embellissement de toute chose. Par cet Ange,
la personne pourra mettre en valeur sa beauté
naturelle ; avoir une bonne santé ; être heureuse en
amour ; faire de bonnes affaires, réussir des examens
scientifiques ; réussir une vie et une carrière artisti-
que. Son visage, son corps, sera si attirant, que la
personne pourra devenir top-modèle (féminin ou
masculin) pour une publicité ; susciter un **grand**
amour chez des personnes riches. La personne sera,
obligatoirement fortunée, si elle adresse **la Prière** à
ce puissant Ange Gardien du Chœur des Chérubins.
La personne peut inventer, découvrir, innover ;
vendre des appareils électroménagers ; mener une
action de modernisation dans l'aviation et surtout
dans les Chemins de Fer.

PRIÈRE A L'ANGE GARDIEN

LÉLAHEL : Je te rends grâce, Seigneur
pour cette halte, en chemin, que tu m'offres.
Je veux, **LÉLAHEL,** partager avec mes frères,
l'abondance de biens dont tu m'entoures.
Inspire-moi, Seigneur, la vocation de guérir les
    malades,
le désir de rétablir, d'équilibrer les âmes en crise.
Si mon souvenir, doit rester dans le Monde,
je demande qu'on se souvienne, seulement,
de mes œuvres de Bonté, de Générosité, de grande
    Utilité.
Que l'Amour que tu inspires, je puisse aussi
    l'inspirer ;
et que mon ambition soit celle d'être porteur
de solutions heureuses pour tous, et donc,
de solutions heureuses pour l'Œuvre Divine du
    Monde !

7 — ACHAIAH

Ange Gardien des personnes nées
entre le 21 et le 25 avril

Ce Gardien dispose du pouvoir d'**Intelligence et de Compréhension** des énergies de Mercure, en plus de celles (uraniennes d'Amour) de son Chœur, dirigé par l'Archange **Raziel.** Cet Ange accorde un énorme sens pratique, une intelligence vive et rapide, capable de résoudre tous les problèmes, tous les soucis, toutes les situations difficiles. La personne découvrira la **Vérité** en toute chose. Elle peut réussir, grâce à cet Ange Gardien, toute profession d'intermédiaire, surtout concernant les moyens de communication (télévision, radio, presse, éditions). En amour, l'être à aimer devra se présenter dans une activité intellectuelle ou religieuse.

PRIÈRE A L'ANGE GARDIEN

ACHAIAH : Si j'ai été élu par Toi
pour le dur labeur de découvrir la Vérité
dans la petitesse des choses,
fais, Seigneur, que mon intelligence ne s'égare pas
dans le labyrinthe de la complexité
des situations matérielles.
Fais que mon intellect soit toujours relié
à la source éternelle de ta Lumière,
afin que je sache bien discerner ce qui est primordial,
même caché ou déguisé dans des formes passagères.
Fais que le message, que je dois transmettre à mes
frères,
soit une voie vers l'**unité,** pour qu'ainsi,
par mon effort patient, les Humains puissent apercevoir
la pure Lumière des Mondes d'en Haut.
Mon Ange, mon Guide et Mon Gardien,
donne-moi l'audace de pousser mon intelligence,
toujours au-delà !

8 — CAHETEL

*Ange Gardien des personnes nées
entre le 26 et le 30 avril*

Cet Ange Gardien dispose des énergies de la Lune, en plus de celles (uraniennes) de son Chœur. Il est l'Ange **des Eaux.** Par conséquent, la personne peut réussir dans toutes les professions en rapport avec l'**eau.** Eau minérale, eaux potables, navigation maritime et fluviale, pêche, commerce de produits maritimes... **Cahétel** est aussi l'Ange du **Foyer,** et il favorise tout ce qui concerne, donc, le foyer familial et son embellissement. L'énergie que **ce** Gardien accorde à ses **protégés,** fertilise, fait progresser, tout ce que la personne entreprend. Par la **puissante bénédiction** de cet Ange, tout lui réussira à merveille. La **prière** de cette personne est très bien reçue (son Gardien écoute beaucoup !), elle pourra gagner beaucoup d'argent, en travaillant dans l'agriculture, ou dans les Grands Magasins (deux domaines **lunaires** de la compétence, encore, de son Gardien) : elle pourra posséder des terres, des champs, avoir des récoltes satisfaisantes, abondantes.

PRIÈRE A L'ANGE GARDIEN

CAHETEL : J'ai reçu de toi, Seigneur,
une infinité de dons, et de pouvoirs.
Mes lèvres expriment avec aisance,
le Monde que Tu as créé, et mes mains modèlent
Ta matière primordiale.
Tu m'as permis de réussir, **Ô CAHETEL !**
Tu as placé, entre Toi et Moi, des clôtures,
des palissades ; terrains, jardins et propriétés ;
obstacles, tous, qui m'éloignent
de ta divine présence. Mais Tu as placé, en moi,
aussi, l'ardeur pour les dépasser.
Fais Seigneur, que cette ardeur soit
ce qu'il y ait de plus fort en moi,
pour que je puisse sauter par-dessus les barrières,
vaincre les obstacles,
m'arracher à la beauté des jardins et des terrains ;
vaincre aussi la flatterie de la renommée,
pour courir vite vers Ta Source de Vie.
Libère-moi, Seigneur, de la vanité,
et moi je saurai me libérer
des servitudes de l'abondance.

LES ANGES GARDIENS
DU CHŒUR DES CHÉRUBINS

9 — HAZIEL

Ange Gardien des personnes nées
entre le 1er et le 5 mai

Le premier des Anges Gardiens du Chœur des Chérubins, **Haziel,** est une sorte de **love machine,** une machine d'amour et d'amitié (nous pouvons, par lui, aimer et nous faire aimer). Il accorde, aussi, le pardon de toute faute. Avec le **don** du pardon de ce Gardien, nous sommes pardonnés (notre Karma est effacé). Cet Ange peut désintégrer les situations angoissantes, préoccupantes, par sa seule **présence,** lorsque nous le **Prions, l'Invoquons.** Les « grands de ce monde » auront de l'amitié (et même de l'amour) pour ce **protégé** de Haziel. Les situations Providentielles se manifesteront constamment, à la seule condition de chercher toujours et partout, la **réconciliation** (le rapprochement), et non pas le combat, ni la dispute.

PRIÈRE A L'ANGE GARDIEN

HAZIEL : Je te demande, seulement, Seigneur,
que par moi Ta miséricorde puisse se manifester ;
qu'en moi puissent trouver soulagement
ceux qui, par loi de Vie,
se trouvent attachés à la Colonne de la Rigueur.
Puisque tout me sera accordé avec largesse,
fais pencher, **Ô HAZIEL,**
mon esprit vers le partage,
et place-moi dans le chemin
de ceux qui vivent l'expérience de la sévérité ;
afin qu'ils puissent apercevoir,
dans mon comportement,
la promesse d'une Vie, moins difficile,
plus heureuse.

10 — ALADIAH

*Ange Gardien des personnes nées
entre le 6 et le 10 mai*

Le deuxième Ange du Chœur des Anges-Chérubins s'occupe d'harmoniser et de répercuter les énergies d'Uranus et de Saturne, de les faire descendre aux réalités matérielles. Cet Ange Gardien représente le pardon du Karma ; non pas un pardon général, comme celui de Haziel, mais le pardon du Karma qui concerne l'incarnation présente ; la personne peut donc se libérer de son passé, de toute difficulté ou contrainte pénible, et ainsi tout recommencer. Régénération du corps, en tout premier lieu, guérir les autres et soi-même (les os, surtout, régis par Saturne), puis régénération morale, et, avec elle, effacement de toutes les fautes et erreurs du passé.

PRIÈRE A L'ANGE GARDIEN

ALADIAH : Aide-moi, Seigneur, à répandre
sur mes frères, les bontés que de Toi
j'ai reçues. Mets-moi au travail
au service des autres ; fais qu'au travers
de moi, ils puissent recevoir Ta force
qui illumine et qui guérit.
Aide-moi, **ALADIAH,** à devenir juste
et à utiliser avec sobriété les biens
que tu m'accordes ; fais-moi pencher
vers le partage et la générosité ;
fais de moi un bon avocat pour défendre ceux
que l'ignorance a transformé en coupables.
Fais-moi, Seigneur, le distributeur
de tes biens, le porteur de ta Grâce,
le réalisateur de tes **Œuvres d'Amour.**

11 — LAUVIAH

Ange Gardien des personnes nées
entre 11 et le 15 mai

Le troisième rayon angélique du Chœur des Chérubins est Lauviah, et s'occupe des énergies Uranus-Jupiter. Cet Ange Gardien se manifeste par **l'attraction** (et non pas par la destruction comme le précédent). Il ajoute, aux vertus de richesse de Jupiter, la splendeur d'Uranus, pour accorder la **renommée,** la notoriété. Ses **protégés** peuvent se trouver haut placés économiquement et socialement. Lorsque Lauviah est mis en activité, par la Prière ou par l'invocation, on peut tout obtenir des grands de ce monde. Les personnes qui ne l'ont pas comme Ange Gardien, peuvent s'adresser à lui pendant ses 5 jours de régence, ou demander à leur propre Ange Gardien de lui transmettre leurs demandes concernant l'élévation et la renommée.

PRIÈRE A L'ANGE GARDIEN

LAUVIAH : Ange qui accorde des situations
confortables, de façon définitive, qui accorde
les plaisirs de la renommée. A Toi
je te demande de m'aider à faire jaillir
de mon for intérieur tout ce qui est utile
au renouveau de ma Vie.

De mon passé, Ange **LAUVIAH,** fais ressortir
tout ce qui parle de l'éternel Amour,
tout ce qui est juste et raisonnable ;
mais que soit ensevelie, la complaisance
pour ce qui est seulement anecdotique ;
que soit enterré ce qui doit s'écrouler
sous le poids des conventions.
Détruis mon orgueil, mes vaines passions, mes
jalousies qui me font mentir.
Je veux être un exemple des dons et pouvoirs
de **LAUVIAH,** mon Ange et mon Roi.

12 — HAHAIAH

Ange Gardien des personnes nées
entre le 16 et le 20 mai

Le quatrième Ange-Chérubin représente, pour son **protégé,** la plus solide et efficace cuirasse contre l'adversité. Il est le régent des énergies Uranus-Mars et, par Lui, la personne sera inspirée, orientée, vers des situations lumineuses. Cet Ange est le grand destructeur de l'adversité. Il apparaît dans la vie de cette personne pour dissoudre, de façon soudaine, toute situation mal engagée, et ainsi l'obliger (si l'on peut dire) à lever les yeux au Ciel, pour constater sa présence providentielle. L'amour se manifestera dans les moments dramatiques ; au moment de sauver une vie, peut-être. L'Amour viendra du **ciel,** comme un rêve, comme un fait irréel. Ce Gardien porte le titre d'**Ange-Refuge** et, c'est par l'Amour (l'amour qui émane des énergies d'Uranus), qu'il peut accorder la paix et la protection à tous ceux qui se sentent persécutés.

PRIÈRE A L'ANGE GARDIEN

HAHAIAH : Seigneur, Toi qui as permis le mélange
de Ton souffle avec mon souffle,
pour que je puisse contempler, en moi,
la beauté d'un Amour sans limites,
fais que je sois pour mes frères
celui qui transmet Ta divine harmonie,
celui qui porte la paix et le calme
aux âmes troublées. Permets Ange **HAHAIAH**
qu'il n'y ait pas de confusion
entre l'Amour (qui est Loi Universelle) et
les passions qui souvent agitent les cœurs.
Seigneur et Ange, je veux jouer le rôle,
toujours de bon intermédiaire,
jamais celui de dirigeant solitaire.

13 — IEZALEL

*Ange Gardien des personnes nées
entre le 21 et le 25 mai*

Le cinquième Chérubin porte l'union des énergies d'Uranus et du Soleil, et (donc) porte, à la conscience de son **protégé,** un message de fidélité aux autres, afin de lui faire savoir qu'il n'est pas seul. L'individu aura un désir d'unité, d'union. L'Unité, dans notre monde est formée par notre double personnalité (masculine et féminine) ; et son désir fondamental sera celui de s'unir à l'autre sexe, pour former l'**unité,** sans laquelle toute progression est impossible. L'**union** crée l'ordre, l'harmonie et la beauté ; et l'individu, aidé par les impulsions uraniennes de cet Ange (son Gardien), sera un agent au service de l'union de ce qui est supérieur avec ce qui est inférieur ; il sera une fontaine d'amour pour tous ceux qui l'entourent. Il pourra être le grand unificateur, dans tous les domaines : la famille, la société, la patrie, les peuples, les continents, les races...

PRIÈRE A L'ANGE GARDIEN

IEZALEL : Donne-moi Seigneur, la juste mesure
des dons et pouvoirs que Tu m'accordes,
pour qu'ainsi, mon imagination et ma raison,
ne soient pas les maîtresses de ma Vie.
Fais que mes désirs acceptent
les commandements de mon esprit, et que la
fidélité règne parmi mes souhaits.
Aide-moi, Ange Seigneur, à me rappeler
les conquêtes morales de mon passé,
et ne me permets pas d'exprimer l'erreur.
Éloigne-moi, de tout ce qui est superflu,
insignifiant, dérisoire ou minuscule.
Éveille mon intérêt pour ce qui est éternel,
pour que je puisse exprimer la beauté et
l'harmonie, la joie de vivre !
Je veux être l'émissaire
de la Vérité éternelle.

14 — MÉBAHEL

Ange Gardien des personnes nées
entre le 26 et le 31 mai

Le sixième Chérubin est le régent des énergies Uranus-Vénus. Il apporte au monde l'amour et la beauté, l'**inspiration** et la liberté, en provenance des mondes supérieurs ; ses **protégés** peuvent devenir de véritables créateurs. Il est agissant sur les aptitudes de l'individu. Il peut lui accorder des dons pour qu'il devienne un Juge, ou quelqu'un qui fixe les règles d'une quelconque activité, car Vénus régit la vie des sens et **Mébahel** apportera richesse, exubérance, et élévation des sens. Par ses dons, Il peut faire de nous des maîtres dans l'art culinaire, dans la peinture, la musique... Il nous fera aimer ce qui est petit, le détail éphémère (une mode, une chanson). Tout doit être aimé, et voilà cet Ange Gardien présent, pour que nous n'oubliions pas d'aimer ce qui est peu important. Le **Psaume** qui le concerne, nous dit qu'il est celui qui redonne courage à ceux qui ont perdu l'espoir ; il nous fait voir que tout conduit au Bien.

PRIÈRE A L'ANGE GARDIEN

MÉBAHEL : Accorde-moi des pouvoirs
pour édifier mon avenir,
de la même manière que tu as édifié
la merveilleuse machine de l'Univers.
Gonfle, Seigneur, les voiles
de mes sentiments, pour que je puisse
ressentir, dans ma propre chair,
la sainte colère de mes frères
lorsqu'ils sont humiliés, violés, déchirés,
par l'injustice, par la violence.
Place-moi, Ange **MÉBAHEL,** à la pointe
de la Société, afin que mes mots
soient l'épée qui brise et met en pièces
tout ce qui est faux ou retors.
Je veux lutter pour des lendemains heureux,
je veux être l'un des artisans de ta Justice.

15 — HARIEL

Ange Gardien des personnes nées
entre le 1er et le 5 juin

Le 7e Chérubin est le régent des énergies Uranus-Mercure. Il agit depuis le for intérieur de ses **protégés**; il oriente leur intelligence vers la Vérité, vers la Science et vers la Spiritualité. La personne doit éviter de critiquer, d'ironiser, afin de faire jaillir, de ses paroles et de ses écrits, l'Amour, cette **blancheur** uranienne qui rend belle toute chose. C'est alors, lorsque l'Amour jaillira, que **Hariel** conduira la personne vers la grande route de la science, vers celle de l'art, ou vers celle de la spiritualité (ou vers les trois routes à la fois!), selon le désir de la personne. Tout ce que la personne écrira sera chaleureux et exaltant, témoignage de pureté et de vérité. **Hariel** accordera splendeur et éclat à son intelligence, et une grande lucidité qui lui permettra la découverte du chemin logique vers le succès, la réussite morale et matérielle.

PRIÈRE A L'ANGE GARDIEN

HARIEL : Nettoie, Ange Seigneur, mes désirs
afin que ma bouche exprime seulement
des paroles agréables et utiles.
Donne-moi, Ange **HARIEL,** force et courage
pour faire face à mon Destin
et changer en Bien, le mal
que j'ai pu faire.
Place ta Lumière en moi,
pour réconcilier mon cœur avec ma raison.
Que ma vérité soit Ta Vérité,
que mes convictions et mes actions
ne s'écartent jamais
de la Loi des Dix Paroles.
Fais de moi une Porte ouverte
pour qu'athées et idolâtres
puissent te découvrir et t'aimer.

16 — HÉKAMIAH

*Ange Gardien des personnes nées
entre le 6 et le 10 juin*

Le 8ᵉ Chérubin est le régent des énergies Uranus-Lune. Cet Ange imprime son sceau aux images qui jaillissent autour de nous (à la manière des Archanges). Lorsque l'Amour de l'Ange Gardien est projeté sur les images quotidiennes, cette **passion** de l'Ange pour son **protégé** se manifeste chez l'individu sous la forme d'un grand pouvoir. L'influence de **Hékamiah,** accorde le pouvoir royal. Certes, tous ses **protégés** ne peuvent pas être des Rois, ou des Présidents de Nations, mais **tous** ont la possibilité de le devenir dans les milieux où ils habitent, où ils travaillent. Les personnes sous l'influence de cet Ange Gardien seront respectées et puissantes ; rien ni personne ne pourra leur enlever la **couronne d'or** que cet Ange placera sur leurs têtes. Ils porteront la marque de l'Amour Divin et, s'ils suivent le chemin de la droiture, leur pouvoir sera de plus en plus important, dans tous les domaines : amour, argent, prestige et situation sociale.

PRIÈRE A L'ANGE GARDIEN

HÉKAMIAH : Puisque tu m'as désigné
pour édifier le nouvel Univers,
pour signaler aux Humains leur au-delà,
je te demande d'encourager mon action.

Ange Seigneur, **HÉKAMIAH,** suis mes pas,
prend de l'intérêt pour moi, car
si je me trompe, si ma Lumière ne permet
pas, aux Humains, de Te comprendre,
les critiques porteront sur Toi.
Et les gens diront : « Pourquoi Dieu a donné
richesse et pouvoir à celui-là ? »
Maintiens en moi une Haute Spiritualité,
ne me permets pas de devenir obscur
par les passions qui agitent souvent mon cœur.
Donne-moi **Ta Main** pour que je puisse toujours
œuvrer pour rendre au monde ce que Tu
m'accordes. Je ferai que les humains boivent
à flots ta Lumière.

LES ANGES GARDIENS
DU CHŒUR DES TRÔNES

17 — LAUVIAH

Ange Gardien des personnes nées
entre le 11 et le 15 juin

Le 1er Ange Gardien du Chœur des Trônes de Saturne, porte le même nom que son **Frère** l'Ange-Chérubin-11 : Lauviah. Lauviah-Trône exprime puissamment l'énergie uranienne, dans le cadre cristallisé que Saturne forme. Ce Gardien placera la personne dans un cadre d'activités d'élévation maximale ; dans un sens, plus spirituel que conventionnel. En tout cas, la personne aura la possibilité de vivre dans un état d'exaltation permanente, de joie de vivre permanente. C'est l'homme qui possède le **Savoir.** La personne pourra-t-elle exprimer ce Savoir ? Pour ce faire, il faudra activer (en lui adressant sa Prière, en l'**invoquant**) le Chérubin-Lauviah-11. Sans ce Chérubin, le Savoir de la personne ne s'extériorisera pas ; et, renfermé dans son intérieur, il finira par se décomposer. Il faudra **Prier** les deux **Lauviah !**

PRIÈRE A L'ANGE GARDIEN

LAUVIAH : Permets, Ange Seigneur,
que le contenu de mon inconscient s'intègre
harmonieusement à mes pensées.
Fais que les situations sombres
de mon passé, deviennent claires ;
afin qu'aucun tourment ancien
ne vienne assombrir mon action présente.
Place, Ange **LAUVIAH,** Ta Lumière
dans les ténèbres de mes émotions, afin que
je puisse transformer en œuvre positive,
le sombre conglomérat du passé.
Inspire-moi, Seigneur, pour que
tous ceux qui se sentent en affinité
avec moi, trouvent dans mon œuvre
le fil d'Ariane qui leur permettra
de sortir du labyrinthe des émotions
Fais de moi un **pont**
entre la Pensée et le Désir,
afin de les **unir** et ainsi réussir
la grande œuvre du Monde.

18 — CALIEL

Ange Gardien des personnes nées
entre le 16 et le 21 juin

Le 2e Ange-Trône régit les énergies de Saturne. Il est le révélateur de la Vérité, puisque c'est Binaël-Saturne qui l'institue et lui donne une forme. **Caliel** est le Porteur de Vérité, et c'est au travers de ses **protégés** que la Vérité pourra apparaître. Apparaître : c'est-à-dire que la Vérité sera **mise en scène,** montrée de façon incontestable. La Vérité est toujours source d'élévation ; elle illumine l'espace, bien au-delà des limites de la scène, comme ces feux d'artifice, qui en éclatant au ciel, illuminent également la terre. L'individu pourra se manifester là où la Vérité sera nécessaire ; il ne présentera pas des doctrines, des théories, des principes moraux... il présentera, seulement, les preuves **matérielles** de la Vérité. Preuves scientifiques ou anecdotiques ; preuves techniques ou créatrices d'évidences intérieures. L'individu aura la possibilité, aidé de ce Gardien, de faire valoir des points de vue incontestables que l'on acceptera.

PRIÈRE A L'ANGE GARDIEN

CALIEL : Permets, Seigneur,
que mon intelligence soit toujours
au service de causes justes. Libère-moi
de la tentation d'utiliser.
mon ingéniosité dans un vain étalage
de mes facultés.
Lorsque **tes** Forces, me feront aller
au-delà de moi-même, reste avec moi
pour m'inspirer la prudence.
Fais que ma logique soit Ta Logique,
et que mon intérêt pour les autres
soit motivé par l'Amour que tu offres
à tous ceux qui ont besoin de Toi.
Ange **CALIEL,** fais-moi comprendre
le monde des hors-la-loi ; et,
si je dois les juger, ne sépare jamais
de moi, l'Éternelle Bonté.

19 — LEUVIAH

*Ange Gardien des personnes nées
entre le 22 et le 26 juin*

Le 3e Ange Gardien du Chœur des Trônes représente la partie jupitérienne des énergies de Saturne.
Il faut savoir que c'est Hésediel-Jupiter qui a transformé le monde (hérité de Binaël-Saturne) en ce
luxuriant Jardin nommé Éden. **Leuviah** offre une
anticipation de ce Paradis, mais sans oublier la Loi
instituée par Binaêl-Saturne. Leuviah veut produire
l'homme équilibré, prudent, judicieux, mesuré,
aimable, rempli de modestie et toujours de bonne
humeur (même dans l'adversité). Il aura l'idée
exacte de ce qu'il peut réaliser et de ce qu'il ne peut
pas obtenir ; c'est-à-dire qu'il saura bien équilibrer
ses ambitions. Tout ce qu'il décidera, aura des
conséquences heureuses lors des réalisations, car il
aura pu prévoir le bien général et les possibilités
exactes de réalisation. De lui, jailliront l'abondance,
la richesse et la fécondité:

PRIÈRE A L'ANGE GARDIEN

LEUVIAH : Nettoie, Seigneur ma mémoire
(inconsciente et consciente)
de tous les éléments polluants.
Éloigne de mes rêves les images effrayantes
monstrueuses ou libidineuses ; et fais
que mes imaginations aient un sens ;
afin qu'en les exprimant, mes frères humains
puissent apercevoir l'Univers futur,
sans frontières, dans lequel
le bonheur resplendissant devra exister.

Permets, Ange **LEUVIAH,**
que je trouve mon point d'équilibre,
entre ma réalité matérielle
et ma réalité imaginative
pour que je puisse préparer un Monde
qui, aujourd'hui, se trouve
au-delà de l'Humain.

20 — PAHALIAH

Ange Gardien des personnes nées
entre le 27 juin et le 1er juillet

Pahaliah est le régent des énergies martiennes de Binaël-Saturne, préposé au rétablissement de la Loi Cosmique dans le Monde. Le combat contre les ennemis de l'Ordre Universel, sera le sujet où cet Ange Gardien apportera une aide maximale à l'individu. A n'importe quel niveau, et en toute circonstance, l'individu pourra réussir sa lutte pour la Vérité. La parole ne suffira pas, il faudra y ajouter le geste, le comportement. Il faut savoir que les énergies martiennes sont toujours porteuses de travail d'effort ; et, en effet, le **rétablissement** de l'ordre violé est un travail. Ce combat contre les ennemis de l'Ordre Cosmique, la personne devra le mener à bien dans son propre intérieur. S'il gagne sa guerre intérieure, il pourra maîtriser ses pulsions (ses passions) et devenir l'homme exigeant envers lui-même, le Héros qui lutte pour agir en accord avec ses principes, et dont la Victoire le rend Maître de son Destin. Tout est possible avec l'aide de cet Ange Gardien.

PRIÈRE A L'ANGE GARDIEN

PAHALIAH : Illumine, Seigneur, ma foi
pour que je puisse contempler depuis Ta Porte
la Vérité des Mondes où la Raison
ne peut pas, encore, pénétrer.
Fais, Seigneur, que ma parole
donne aux autres le goût
de tes sublimes évidences,
et que je devienne,
pour ceux qui se sont perdus en chemin,
un panneau de bonne signalisation.
Conduis, Ange **PAHALIAH,** mes énergies
par les canaux qui arrosent le cerveau ;
pour que je puisse **créer** (pro-créer)
avec mes organes supérieurs,
au lieu de gaspiller ma **semence**
dans des jeux érotiques vains.
Fais-moi rencontrer des gens qui ont besoin
de Ta splendeur, car je veux
leur transmettre le germe d'Éternité.

21 — NELCHAEL

*Ange Gardien des personnes nées
entre le 2 et le 6 juillet*

Cet Ange Gardien représente les énergies solaires dont Binaël-Saturne dispose. Le Soleil représente la **conscience,** et donc ce Gardien pénètre la conscience de l'individu, pour y imprégner ses règles. La Loi pénètre sa conscience, et tout, en lui, sera en ordre ; c'est ainsi que l'individu pourra devenir un porteur d'ordre, de justice, un homme de parole, fidèle à ses engagements. Connaisseur de la Vérité, dans son intérieur, il pourra l'extérioriser et défaire les sortilèges, les calomnies, les envoûtements, tel qu'il est indiqué dans les Textes Traditionnels, qui ajoutent que ce Gardien aide efficacement pour dominer les mathématiques, les sciences abstraites, les techniques, et la philosophie. En effet, lorsqu'un individu intériorise la Loi, pour la transformer en force motrice, il trouve toujours le mécanisme pour la **faire fonctionner** extérieurement et réussir pleinement son existence.

PRIÈRE A L'ANGE GARDIEN

NELCHAEL : Fais que mon projet d'avenir,
ne soit pas un simple jeu, un vain rêve.
Permets qu'en jetant les filets
de ma fantaisie, dans ton Monde étoilé,
je puisse revenir vers mes frères et sœurs
avec une pêche abondante
de vérités supérieures, utiles, rentables
spirituellement et matériellement.
Fais circuler dans mes veines
le souffle de l'éternité.
Fais que mon intellect conçoive
un Palais pour l'Esprit, afin qu'avec
les dures pierres noires de mon passé,
je puisse bâtir, édifier, avec mes mains,
l'Univers nouveau, de bonheur et de joie.

22 — YEIAYEL

*Ange Gardien des personnes nées
entre le 7 et le 11 juillet*

Cet Ange Gardien est le régent des énergies vénusiennes de Binaël-Saturne. Il accorde le sens des proportions ; du bien et du mal dans les rapports sociaux. Il encourage l'art et la bonté. Il s'agit, sans aucun doute, de l'Ange le plus **humain** parmi les Anges-Trônes. Il oriente ses **protégés** au travers de leurs cinq sens, afin que l'individu puisse toujours agir en conformité avec la Loi Cosmique. C'est dire que, lorsque cette orientation est suivie, tout va bien ; en effet, le Texte Traditionnel nous dit que cet Ange domine et accorde la fortune, et **la renommée,** ce qui en dit long ! car c'est un véritable trésor que l'on parle bien de vous, lorsqu'il est si facile de dire du mal des autres. Le Texte Traditionnel parle également de réussite en affaires, et de voyages heureux et positifs.

PRIÈRE A L'ANGE GARDIEN

YEIALEL : Tu me fais prendre conscience
de l'unité de ton Règne ;
et tu m'offres la vision de ce que sera
ma Vie, lorsque les voix des instincts
auront retrouvé le silence paisible.
Permets-moi, Ange **YEIALEL,** d'exprimer
dans mon comportement, ces connaissances.
Fais que ton projet pour moi
devienne, en moi, sang et muscle,
afin que mes faits et gestes quotidiens,
parlent plus fort que mes mots.
Et, dans ce voyage vers un avenir radieux,
protège-moi du danger d'un naufrage,
du danger qui nous guette
lorsque nous nous détachons des Lois
de l'Éternel, pour adorer notre personnalité
passagère et mortelle.
Fais, Ange **YEIALEL,** que mes yeux arrivent
à te découvrir dans ma propre image.

23 — MELAHEL

Ange Gardien des personnes nées
entre le 12 et le 16 juillet

Ange Trône, Gardien qui régente les énergies de Saturne et de Mercure. Il fait pénétrer la Loi dans l'intellect ; c'est-à-dire que l'individu peut **tout Comprendre.** Sa raison lui dicte sa conduite (c'est là, le désir de son Ange Gardien). Ayant pris connaissance que tout est le résultat d'une cause (que rien n'est dû au hasard), il agira de façon à ce que les effets de ses actions lui soient favorables. Il sera, donc, paisible et fécond dans toutes ses activités, par le fait de l'action des Lois d'en Haut sur le monde matériel d'en Bas. La personne découvrira la corrélation entre les objets matériels et les énergies qui les produisent, et deviendra un initié dans la connaissance des secrets des Forces de la Nature. Tout peut être obtenu en adressant l'**Invocation** (la Prière) à cet Ange.

PRIÈRE A L'ANGE GARDIEN

MELAHEL : Permets-moi, Seigneur,
de contempler l'Éternité,
dans ce qui est concret et matériel.
Permets-moi de voir, clairement,
dans les richesses matérielles, dans l'Or,
dans l'Argent, la Lumière condensée,
qui permet aux Humains de bien agir.
Permets-moi de bien comprendre que tout
ce qui est visible, tangible,
est l'expression la plus concrète
de l'Œuvre Divine de la Création.
Ange **MELAHEL,** je veux participer à ce récit
cosmique, que Tu es en train d'écrire.
Inspire mon esprit, Seigneur,
pour que tout, en moi,
puisse se reconstruire
selon l'ordre naturel (qui est Divin)
et apporter, ainsi, aux autres,
l'image de la divine harmonie ;
l'image du rythme parfait
dans leurs organes (la santé).
Accorde-moi le pouvoir de devenir celui qui,
par Toi, peut expliquer la signification
des faits, des choses, des situations,
et, donc, être porteur de réussite.

24 — HAHÉUIAH

*Ange Gardien des personnes nées
entre le 17 et le 22 juillet*

C'est le plus **bas** des Anges Gardiens du Chœur
des Trônes ; c'est-à-dire, celui qui est le plus proche
de notre réalité matérielle. Il est le régent des
énergies Saturne-Lune. Dans les énergies Lunaires,
Binaël-Saturne se montre sous son aspect **maternel,**
pour faire naître et protéger la **vie inférieure.** Bref !
ceux qui vivent en marge de la Loi Divine (qui est la
Loi Naturelle) trouveront, en cet Ange, la Vérité et
le chemin pour la comprendre et revenir à elle.
Hahéuiah est source de Vie et de Santé, car il reflète
la **Mère Cosmique.** Tous ses **protégés** possèdent le
don de rendre la santé et la plénitude morale, à ceux
qui les ont perdues. Les Textes Traditionnels nous
disent que ce Gardien aide les exilés, les fugitifs, les
prisonniers, à éliminer leurs situations difficiles. En
effet, l'exil extérieur, la prison, la fuite, sont le
résultat de situations **intérieures,** et cet Ange peut
nous faire comprendre que tout est conséquence de
nos actes ; et alors la « **punition** » est inutile et elle
disparaît.

PRIÈRE A L'ANGE GARDIEN

HAHEUIAH : Tu es mon Ange Gardien,
sois mon instructeur, mon Guide car, sans
toi, je risque de me perdre en chemin.
Tu m'as fait de telle manière, Seigneur,
que je ne peux que m'engager dans mes rêves ;
et même, pour que mes rêves deviennent
réalités, je pourrais attenter aux lois.

Prends-moi sous ta surveillance
et conduis-moi à des situations
lumineuses, sans soubresauts,
pour que mes pensées soient claires
et je puisse me comprendre et Te comprendre.
Car, je veux être la Pierre d'Angle
de ton Œuvre : utile à moi-même,
à mon prochain et à l'Œuvre Divine.

LES ANGES GARDIENS
DU CHŒUR DES DOMINATIONS

25 — NITH-HAIAH

*Ange Gardien des personnes nées
entre le 23 et le 27 juillet*

Le premier Ange Gardien au service de Hésediel-Jupiter, représente le **visage** uranien de l'Archange ; il régit les mêmes énergies que Lauviah-11, mais dans un sens inversé. Lauviah-11 plaçait l'amour uranien dans la richesse jupitérienne, pour produire la **célébrité** ; Nith-haiah, place le pouvoir jupitérien dans l'amour uranien pour produire la **magie** (blanche), c'est-à-dire la maîtrise, la domination des forces spirituelles. Par cet Ange Gardien, la personne aura à son service des Entités Spirituelles pleines d'amour. La **volonté** émane des Mondes Spirituels, et donc ce Gardien accorde à ses **protégés** le pouvoir de dominer toute chose, toute situation. La personne aura, surtout, la possibilité de bien se loger, car Nith-Haiah aime la paix, et le silence.

PRIÈRE A L'ANGE GARDIEN

NITH-HAIAH : Seigneur, fais qu'en moi,
Ta Lumière, soit solide comme un rocher ;
fais que mes ambitions soient vastes, non
pas pour m'imposer chez mes frères, mais
pour refléter, en eux, Tes divins pouvoirs.
Permets-moi de voir ce que tu caches
au regard profane (profanateur).

Aide-moi, Ange **NITH-HAIAH,** à maîtriser
mes tentations, à dominer mes pulsions.
Fais que mes efforts soient agréables
à l'Éternel Maître des Mondes.
Fais aussi que j'utilise les dons
et les pouvoirs que Tu m'accordes,
non pas pour gonfler ma vanité, mais
pour produire richesse et vertu
pour tous et, ainsi, faire progresser
l'Œuvre Divine de la Création,
vers son réel objectif :
la Félicité Universelle : le Bonheur.

26 — HAAIAH

Ange Gardien des personnes nées
entre le 28 juillet et le 1er août

Le Texte Traditionnel nous dit que ce Gardien rend les juges favorables à notre cause, et qu'il nous fait gagner les procès ; nous devons comprendre cela dans un sens philosophique. Nous avons tous une **cause** à défendre, une **ambition** à réaliser ; et cet Ange est le **moteur** de nos ambitions. Le **protégé** de Haaiah agira en accord avec les Lois divines et humaines ; il sera l'homme juste et véritable, capable d'engendrer un espace social où ce qui est juste pourra s'épanouir. Il aura la possibilité de se manifester, dans les Palais de Justice, dans le domaine Social ou Politique, partout où la Justice et la Vérité seront nécessaires. La personne aura un comportement juste, selon les règles morales et sociales, mais cela ne suffit pas ; elle doit prier son ange Gardien afin d'**extérioriser** cette Force, ce **Don,** de Justice et de Vérité.

PRIÈRE A L'ANGE GARDIEN

HAAIAH : Je souhaite, Seigneur, être
sur Terre, le dépositaire de ta Lumière,
le digne porteur de Ton Livre. Et si Tu
m'accordes le pouvoir d'arbitrer des conflits
entre des personnes ou des peuples, aide-moi
pour que je puisse apporter des solutions
dans une perspective humaine élevée ;
en pensant au **bonheur** des gens,
et en harmonie avec les engrenages
qui font avancer Ton Univers.

Éveille en moi l'inquiétude
pour la véritable spiritualité, afin que
la Lumière que tu m'offres fasse de moi
ton Ambassadeur, ton associé dans
le travail du Monde ; pour qu'ainsi
je puisse réaliser, utilement, ma Vie,
dans la Joie, la Paix, la Richesse
(morale et matérielle), le Bonheur.

27 — YÉRATEL

*Ange Gardien des personnes nées
entre le 2 et le 6 août*

Cet Ange Gardien-Domination, exprime intensément les dons et pouvoirs de son Centre. En lui, resplendissent les pouvoirs créateurs des Séraphins, l'amour-sagesse des Chérubins, la capacité d'ordre **légal** des Trônes, ainsi que le pouvoir d'organiser de nouveaux mondes. Celui qui a la chance de l'avoir pour Gardien, peut se considérer comme un « élu des Dieux » ; ce n'est pas par hasard que l'on a ce Gardien, mais parce qu'on l'a mérité. Yératel accorde l'optimisme, la joie, la paix et toutes les vertus supérieures qui conduisent à la réussite (en amour, argent, prestige, spiritualité, etc.). L'invoquer signifie résoudre immédiatement les possibles problèmes personnels, politiques, sociaux... Cet Ange reçoit **toujours** ses protégés, à bras ouverts, pour leur accorder la paix, l'apaisement, **la réalisation de leurs espoirs.**

PRIÈRE A L'ANGE GARDIEN

YÉRATEL : Seigneur, permets-moi d'utiliser
les vertus acquises tout au long de mes Vies
pour, avec elles, illuminer la partie obscure
de mon univers, de mon existence.
Je veux être une rivière de Feu
où puissent venir se purifier, avec moi,
tous ceux qui le souhaiteront.
Permets-moi de distribuer la flamme,
à tous ceux qui n'ont pas encore reçu
leur part de Vérité Éternelle.
Aide-moi, Ange **YÉRATEL,** à survoler
ce qui est profane, pour ensuite pénétrer
dans le domaine du sacré, du saint ;
aide-moi à trouver ma place dans le Cosmos.
Fais qu'en moi, l'intelligence soit
le reflet de Ton Divin Savoir,
et que, dans mon âme, la soif d'agir,
d'apprendre (on n'apprend qu'en agissant)
ne s'éteigne jamais.
Et lorsque mon esprit se détachera
de mon corps, pour monter au-delà de lui-même,
conduis-moi devant l'Éternel : **face à face.**

28 — SEHEIAH

*Ange Gardien des personnes nées
entre le 7 et le 12 août*

Cet Ange Gardien est le régent de certaines énergies de Mars, et le Texte Traditionnel nous dit, qu'Il protège des incendies, des chutes, des ruines, des maladies, bref! de tous les malheurs inhérents aux énergies de Mars-Camaël, lequel accorde la sagesse à partir des expériences. Dans les turbulences, Séhéiah apporte la grâce de Hésédiel-Jupiter (Maître du Chœur). Ce Gardien sauvera toujours son **protégé,** qui sortira indemne de situations catastrophiques ou délicates. Un individu, avec Séhéiah comme Gardien, dans un avion, dans un bateau, dans une voiture, un train... évitera tout accident. C'est l'homme providentiel qui, par sa seule présence, évitera même, toute catastrophe. Il est très utile de Prier cet Ange, de façon **préventive;** c'est une excellente assurance.

PRIÈRE A L'ANGE GARDIEN

SÉHÉIAH : Aide-moi, Seigneur
à prendre conscience de mes erreurs,
afin que la douleur, porteuse de sagesse,
ne soit déjà plus nécessaire.
Un lourd **karma** gravite sur moi
et je veux ton aide pour m'en dégager,
en accomplissant les devoirs et obligations
concernant mes proches, la Société.
Car déjà le fait de t'avoir pour Gardien,
veut dire que je suis créditeur
de certains privilèges, gagnés
en faisant le Bien.
Guide-moi, Ange **SÉHÉIAH,**
pour que j'administre, avec prudence,
les biens que je recevrai de Toi.
Illumine mon âme pour que je comprenne
le sens des épreuves ; et ensuite,
déjà propre des scories du passé,
fais de moi l'un de tes associés
dans l'Œuvre Divine du Monde.

29 — REIYEL

*Ange Gardien des personnes nées
entre le 13 et le 17 août*

Cet Ange est la **face** (l'aspect) solaire de Hésédiel-Jupiter ; et le Texte Traditionnel nous dit qu'il domine sur le sentiment religieux, et qu'il établit une **tête de pont** dans la Conscience de ses **protégés,** qui, ainsi, entendent la voix qui vient d'en Haut. Donc la personne pourra établir un lien indestructible avec la puissance de son Ange Gardien. Sa conscience lui indiquera à tout moment, ce qu'elle doit faire pour réussir, même si elle ne peut pas en donner les raisons. Cet Ange lui apportera *directement* le savoir supérieur, lui fera voir l'ordre parfait (possible) qui existe en toute chose. C'est-à-dire qu'elle sera **armée** pour lutter contre « les ennemis de la religion » comme précise le Texte Traditionnel ; en voulant dire, contre ceux qui s'opposent au véritable sens de la Loi Naturelle.

PRIÈRE A L'ANGE GARDIEN

REIYEL : Seigneur, tu m'as choisi pour être
le véhicule de ton Verbe ! Veille donc
à ce que mon âme soit claire et pure
afin de bien manifester Ta pensée.
Lave les impuretés, les obstacles
(que ma personnalité mortelle interpose)
pour que le flot de Ta Lumière coule
librement, abondamment.

Libère-moi des ennemis qui souhaitent
me détourner de mon but ; et des amis
qui me retiennent prisonnier
des fausses valeurs à la mode.
Procure-moi un logement où pouvoir méditer,
en même temps que mener une vie normale.
Remplis-moi d'enthousiasme et de zèle
pour propager ce que mon Ego entrevoit.
Ne permets pas que, par ma conduite,
je trahisse ce que tu me fais proclamer.
Encourage en moi, Ange **REIYEL,** un désir
ardent de me dévouer, de rendre service.
Je veux être l'un des dispensateurs
des vertus, dons et pouvoirs,
de Ta Main Droite.

30 — OMAËL

*Ange Gardien des personnes nées
entre le 18 et le 22 août*

Il est celui qui gère les énergies vénusiennes de Hésediel-Jupiter, pour accorder la fécondité, la plénitude, la Vie d'en Haut à notre monde. Ange Gardien porteur de haute félicité, de richesses matérielles, et de vertus morales et spirituelles. Ange, aussi, guérisseur, capable de rétablir le bon fonctionnement de tout être vivant. Ses **protégés** seront toujours en bonne santé, heureux, comblés. Les femmes, avec cet Ange pour Gardien, seront fécondes, donneront la Vie non seulement dans le domaine humain, mais également dans le domaine végétal et animal : fécondité des terres stériles, avec l'arrivée des pluies nécessaires ; fécondité des animaux qu'elles soigneront. Les hommes qui auront Omaël pour Gardien, participeront aussi à la fécondité que cet Ange dispense, mais avec une intensité moindre (par exemple, en tant que médecins accoucheurs).

PRIÈRE A L'ANGE GARDIEN

OMAËL : Seigneur, je souhaite que par moi,
viennent au Monde des êtres généreux, élevés
Je voudrais avoir été choisi par Toi
pour donner la vie à des êtres supérieurs,
qui témoigneront de ton Règne, ici,
sur cette Terre. Mais, si la nécessité
exige, que de moi naissent des êtres
difformes de corps ou d'âme,
ouvre ! Ange **OMAËL,** mon corps à l'Amour !
pour qu'ils trouvent en moi,
la chaleureuse affection et la force,
nécessaires à leur voyage humain.

Accorde-moi, Seigneur, le don de vivifier,
la faculté de renaissance,
même en faveur de ceux qui risquent
d'être touchés par la Mort.

31 — LÉCABEL

*Ange Gardien des personnes nées
entre le 23 et le 28 août*

Ange **mercurien** au service de Hésediel-Jupiter
(Les différentes **qualités** de chacun des Anges, en
rapport avec les énergies planétaires et les
Archanges, sont précisées dans le Tableau des pages
458 et 459 de mon ouvrage **Rituels et Prières**).
Lécabel accorde **le Talent.** Le Texte Traditionnel dit
que cet Ange accorde, à ses **protégés,** le talent pour
réussir et faire **Fortune.** Cet Ange produira des
scientifiques (Mercure) avec des idées utiles, lumineuses et rentables (Jupiter) ; c'est-à-dire communiquer en Bas, les règles d'en Haut. Omaël était un
producteur de Vie ; Lécabel est un producteur de
compréhension des Lois, pour induire les Humains à
se comporter en accord avec elles, car c'est le seul
comportement qui conduit à la réussite ; ses **protégés**
comprennent cela parfaitement.

PRIÈRE A L'ANGE GARDIEN

LÉCABEL : Inspire-moi, Seigneur,
pour que mon travail humain soit utile
à mon travail spirituel.
Aide-moi, Ange **LÉCABEL,** à découvrir
dans mes espaces intérieurs, les espaces
célestes, sidéraux, afin que mon rythme
de vie, soit à l'unisson du rythme cosmique.
Fais que je sois capable de résoudre
les problèmes de mes proches ; de les aider
matériellement, avec les richesses,
en provenance des Talents que tu m'accordes.
Dans cette dernière étape de mon évolution,
accorde-moi la sérénité nécessaire
pour bien effectuer l'assimilation
des **expériences** cumulées
dans mes vies précédentes
(dont l'anecdote a été oubliée).
Fais que les passions ne troublent pas
mon existence ; et que je ne sois sensible
à aucune autre Beauté
qu'à celle de Ta Divine Face.

32 — VASARIAH

*Ange Gardien des personnes nées
entre le 29 août et le 2 septembre*

Ange Gardien relié aux puissances lunaires ; il agit dans le niveau vibratoire le plus bas du Chœur des Dominations, le plus **pétrifié,** et, par conséquent, il est le Gardien qui manifeste son influence le plus intensément ; il est celui qui peut nous aider le plus radicalement. Les énergies de Jupiter (Richesse, Bien-être, Joie) sont transmises par cet Ange **lunaire,** avec force et vigueur, dans le for intérieur de ses **protégés.** Étant donné que la vie extérieure, quotidienne, n'est rien d'autre que l'image concrète de notre réalité intérieure, la personne, sous l'influence de cet Ange Gardien (surtout en lui adressant sa Prière), sera orientée vers des situations heureuses. C'est l'Ange Gardien des Grands de ce Monde (selon les statistiques), et cela explique que le Texte Traditionnel indique, qu'en priant cet Ange, on obtient faveur et avantages des Rois, Présidents, et personnes puissantes.

PRIÈRE A L'ANGE GARDIEN

VASARIAH : Tu as mis, Seigneur,
une bien lourde tâche
sur mes fragiles épaules.
Mes vies antérieures, rendent inévitable
le fait qu'à présent je doive juger
mes frères ; défendre leurs droits,
ou les contraindre à faire face
aux conséquences de leurs actes.
Manifeste-toi, Ange **VASARIAH,**
pour que je sois un modèle de justice.
Si je suis obligé de véhiculer la sévérité,
aide-moi à ne jamais sembler insolent
en énonçant les sentences.
Aide-moi à ressentir, pour mes frères,
que je juge, une sympathie solidaire,
qui leur rendra plus supportable
le poids du châtiment.
En toute circonstance, fais que
par ta grâce, je ne sois qu'un modeste
serviteur de la Loi ; et jamais
le bras d'un arbitraire, terrestre
et injuste pouvoir.

LES ANGES GARDIENS
DU CHŒUR DES PUISSANCES

33 — YÉHUIAH

Ange Gardien des personnes nées
entre le 3 et le 7 septembre

Il représente l'énergie uranienne du Chœur martien des Anges-Puissances. Nous pouvons dire que la force musculaire de Mars, sera toujours accordée copieusement, à ces natifs, pour la réalisation de travaux orientés à des fins supérieures ; pour progresser moralement, spirituellement et matériellement. Le Texte Traditionnel dit que ce Gardien protège les **Princes dignes et honnêtes,** et nous devons comprendre qu'il protège ce qu'il y a de plus élevé en nous. Cette idée de protection, couvre (ici) le **travail ;** pour dire que **Yéhuiah** nous induira à travailler pour le Prince que nous portons dans notre for intérieur, afin qu'il puisse **se faire obéir** de nos tendances inférieures.

PRIÈRE A L'ANGE GARDIEN

YÉHUIAH : Seigneur, j'ai parcouru un long
chemin à côté de **gens sérieux** mais si,
désormais, Ta Volonté souhaite
me faire connaître la perversité
de Ta Création, veille, depuis la Hauteur,
que j'apprenne la Leçon que je dois
sans dépasser les bornes des attributions
maléfiques, dont tu as bien voulu me pourvoir.

Je veux, que mon incursion dans les Ténèbres,
ne soit qu'un épisode, qu'un entr'acte,
dans le Grand Opéra de mon existence.
Dès que la Leçon (que tu as voulu m'assigner)
sera apprise, je veux retourner
à la Lumière, pour devenir pièce essentielle
de ton resplendissant Univers.

34 — LEHAHIAH

Ange Gardien des personnes nées
entre le 8 et le 12 septembre

Ange-Puissance saturnien. Il accorde ses dons et pouvoirs, afin que l'individu travaille au service d'une cause supérieure, extérieure à lui-même. Fidélité à un haut personnage, pour le servir avec dévouement et avec respect, sérieusement, dans l'ordre et la discipline. En juste retour, il sera largement payé et considéré ; il jouira de la pleine confiance de ses supérieurs, qui lui accorderont toutes sortes de récompenses, quoique **toujours** liées au travail. **Lehahiah,** aime les gens qui travaillent durement ; mais il donne la totale sécurité de l'emploi, la continuité du travail. Ses **protégés** doivent se placer en étroite union avec leurs chefs car, l'ascension des chefs, supposera leur propre ascension ; c'est ainsi qu'ils pourront (de la main de cet Ange) atteindre des situations enviables, remarquables, grâce à la montée de leurs supérieurs.

PRIÈRE A L'ANGE GARDIEN

LEHAHIAH : Donne-moi des bonnes causes
à servir, car je suis bon serviteur.
Donne-moi des maîtres aux vastes horizons,
à qui je puisse apporter ma fidèle et
efficace capacité d'organisateur.
Tu m'apprends, Ange **LEHAHIAH,**
à combiner l'Eau avec le Feu,
l'Air avec la Terre ; et j'espère,
de cet apprentissage, des lauriers
et des titres de gloire.
Oriente-moi, vers des situations
où puissent briller les qualités
que tu m'insuffles.
Fais qu'avec ma voix et mon comportement,
je puisse apaiser les esprits coléreux.
Fais que je sois généreux et dévoué ;
que mon cœur et mon cerveau cohabitent
en parfaite harmonie,
ainsi que mes paroles et mes actes,
afin que je puisse transmettre à mes frères
cette Paix et cette Volonté que tu as mis
dans mon for intérieur, et qui sont sources
de richesses spirituelles et matérielles.

35 — CHAVAQUIAH

*Ange Gardien des personnes nées
entre le 13 et le 17 septembre*

Ange jupitérien, dont les travaux, qu'il nous incite à réaliser, doivent nous reconduire à ce mythique Éden qu'un jour nous avons dû quitter. Ses **protégés** pourront se **réconcilier** avec les Lois éternelles et, dans la vie quotidienne, cette influence de l'Ange Gardien se manifestera sous la forme de réconciliations, avec des personnes dont les intérêts se trouvaient en opposition avec ceux de l'individu. La **Réconciliation** sera le sujet qui devra s'exprimer au travers du travail, et donc l'individu travaillera dans des milieux hostiles : **à l'Est de l'Éden.** C'est, précisément, à partir de cette hostilité (avec laquelle il devra se réconcilier) qu'il pourra, par la Prière à son Ange Gardien, entreprendre le chemin de **retour** vers son Paradis perdu, afin de le retrouver pour toujours !

PRIÈRE A L'ANGE GARDIEN

CHAVAQUIAH : Aide-moi Seigneur,
pour que la voix de mon Ego, arrive
à mon entendement. Aide-moi, Seigneur,
à comprendre le langage des Anges.

Aide-moi, Ange **CHAVAQUIAH :**
dépose en moi la force nécessaire
pour briser les liens qui m'attachent
à mes habitudes, et ainsi pouvoir
entreprendre une Vie nouvelle.

Aide-moi, Ange **CHAVAQUIAH,** à trouver
la place physique appropriée,
pour la création d'un univers nouveau ;
inspire-moi, Seigneur, pour que je trouve
les mots et les gestes justes
et utiles pour bâtir, ici, un monde
semblable à celui de là-Haut.

Aide-moi à bâtir le Nouveau Paradis.

36 — MENADEL

Ange Gardien des personnes nées
entre le 18 et le 23 septembre

Ange martien, au service de l'Archange martien Camaël. Le Texte Traditionnel nous dit que Menadel libère les prisonniers, et fait la lumière à propos d'êtres éloignés. Il s'agit, bien entendu, de la libération de ceux, d'entre ses **protégés,** qui seraient prisonniers de leurs propres erreurs ; ceux qui se sont éloignés de la Vérité, éloignés de la Patrie spirituelle où l'Homme vivait avant sa **chute** et son exil. **Menadel** est la première marche de l'escalier qui conduit à **Chavaquiah** (l'Ange du **retour** au Paradis). L'individu devra réaliser un travail ardu de reconsidération de soi-même, et cela se manifestera par un travail professionnel dur, étranger à sa personnalité, à ses possibilités. Le Texte Traditionnel indique qu'il faut prier ce Gardien si l'on veut conserver son emploi ; dans ce cas, la personne, retrouvera ses facultés, et pourra **bien** travailler et réussir.

PRIÈRE A L'ANGE GARDIEN

MENADEL : Aide-moi Seigneur,
à effacer, de ma mémoire, mon passé obscur.
Fais que les sept voiles de l'oubli
tombent sur ce que je fus, et que
je ne veux plus jamais être.
Occupe-toi, mon Ange Gardien, d'anéantir
la nostalgie qui me persécute ; éloigne aussi,
de moi, à jamais, la saveur des anciennes
réjouissantes habitudes, qui m'ont
si longtemps retenu prisonnier
dans le matérialisme du Monde.
Je veux m'envoler vers la Lumière ;
je veux obtenir de Toi, Ange **MENADEL,**
un Passeport, un Visa, pour retourner,
en esprit et en vérité, à ma Patrie céleste.
Je veux entendre le Concert sidéral
de la musique des **Sphères,**
le crépitement des Astres
dans leur course spatiale.

Le labeur des dures journées,
pour moi est terminé ; je monte vers Toi,
avec mon âme chargée d'expériences.
Bois, Ange ! Bois, savoure le nectar
de ma Coupe, pleine de mes expériences.
Ce que tu me donnes, je le fais fructifier.
Tout est possible lorsque l'on marche
la Main dans la Main avec son Ange Gardien !

37 — ANIEL

*Ange Gardien des personnes nées
entre le 24 et le 28 septembre*

Il est l'Ange-Soleil, du Chœur martien des Puissances. La Volonté de ses **protégés,** représentée par le Soleil, sera fortifiée par Lui. Il s'agira de personnes avec une Volonté ferme et décidée, une Volonté de **Fer,** et une probité, une vertu, à toute épreuve. Ces personnes (pour peu qu'elles adressent des **Prières** à leur Gardien) deviendront célèbres grâce à leur travail. Dans n'importe quel secteur d'activité, **Aniel** voudra donner de la notoriété au travail de la personne. Aussi, l'énergie martienne se manifestera dans la Conscience (régie par le Soleil) elle dissoudra les erreurs (le mal en général) pour donner à la personne un caractère équilibré, sans aucune agressivité. Le Texte Traditionnel indique qu'**Aniel** nous aide à vaincre notre propre routine.

PRIÈRE A L'ANGE GARDIEN

ANIEL : C'est par mes idées, Seigneur,
que je veux exprimer ton Univers.
Je sais qu'il y a des mystères
que je n'ai pas pu comprendre,
des sommets élevés que je n'arrive pas
à atteindre. Mais je devine qu'au-delà
de mon Monde, il y a un Monde plus vaste,
dans lequel, un jour, nous pourrons
pénétrer, nous tous.
Je te demande, Ange **ANIEL,** de me le faire
entrevoir, pour que je devienne l'annonceur
de toutes tes merveilles,
à tous ceux qui se trouvent
à des niveaux plus bas que le mien.
Je peux atteindre un point,
d'où je peux voir que tout est **UN,**
et, déjà, à tout jamais, je reste
dans ton **Unité,** qui doit obligatoirement
me conduire à la Paix, à la Richesse
morale et matérielle, et à l'action
positive dans l'Œuvre Divine.

38 — HAAMIAH

Ange Gardien des personnes nées
entre le 29 septembre et le 3 octobre

Cet Ange régente les énergies vénusiennes dans le Chœur martien des Puissances. De ce fait la personne pourra trouver, dans la vie quotidienne, son parfait complément sentimental, et vivra une histoire d'**amour** extraordinaire. Elle aura une vie paisible, tranquille, sans angoisses, selon le Texte Traditionnel, qui indique que, la **Prière** à ce Gardien, sert contre la foudre, les armes, les animaux sauvages, et les esprits malveillants, car il n'y a rien de mieux contre la violence que les énergies de Vénus. Cet Ange fait un savant dosage avec les énergies de Mars, propres des Anges-Dominations, et celles de Vénus qu'il représente au sein de son Groupe (de son Chœur). De plus, cet Ange fait **descendre** vers notre monde matériel, la beauté et l'harmonie du monde d'en Haut. Ainsi, les énergies de Vénus sont vivifiées par celles de Mars et, en deux mots : **Haamiah** accordera à ses **protégés**, Paix, Amour, Art, et Spiritualité, à volonté.

PRIÈRE A L'ANGE GARDIEN

HAAMIAH : Purifie, Seigneur, mes sentiments ;
écarte de moi, ce qui ne s'accorde pas
avec les Règles Divines. Fais que mon cœur
seulement désire, ce que Toi, **HAAMIAH,**
désires, pour moi, depuis les Cieux.
Apprends-moi, Seigneur l'Art de combiner
l'Eau (mes Sentiments) avec
le Feu (ma Volonté) pour que s'arrête,
en moi, le combat entre ces deux « frères »
Et lorsque j'aurai atteint
ma Paix intérieure, et que je serai
en mesure de mener une action
positive et utile (à mon prochain
et à moi-même), je te demande
de m'octroyer les attributs
de la logique et de la raison afin, qu'avec
mes proches, je puisse ressusciter,
dans le cœur des Hommes Ta Vérité,
car c'est ainsi que le Bonheur
pourra régner dans le Monde.

39 — RÉHAEL

*Ange Gardien des personnes nées
entre le 4 et le 8 octobre*

Cet Ange (avec ses légions) a ouvert lui-même le Sentier 23 (voir l'Arbre, en page 12) par où est rejeté à l'**abîme** tout ce qui n'est pas en conformité avec la Pensée Divine. **Réhael** (et ses légions) est là pour sauver ce qui peut être sauvé. C'est pour cette raison que, le Texte Traditionnel, précise que cet Ange guérit les maladies du corps et de l'âme ; il transforme le mal en Bien. Le Texte Traditionnel parle aussi du pouvoir de **Réhael** pour intensifier l'amour paternel et l'amour filial ; il rétablit, donc, des rapports harmonieux entre **les actes et ses conséquences,** afin que ses **protégés** comprennent que, tel **effet** (tel événement) est le fils logique de telle **cause.** Cette compréhension suffit pour rétablir l'harmonie et la santé ; ce qui permet une très longue et heureuse vie à la personne. Prier cet Ange Gardien est d'une extrême utilité.

PRIÈRE A L'ANGE GARDIEN

RÉHAEL : Seigneur, fais que tout,
dans la vie soit comme il faut.
Aide-moi pour que je n'impose pas à d'autres
mes problèmes, mes croyances, mes angoisses.
Accorde-moi la force nécessaire pour que
je puisse, moi-même, réaliser mes tâches,
sans sentir le désir de charger
sur les épaules de mes amis, de mes proches,
mes propres devoirs.
Donne-moi, **RÉHAEL,** la lucidité nécessaire
pour prendre les décisions qui s'imposent
pour me dégager des habitudes routinières,
et ainsi pouvoir avancer, libre de ce poids,
vers de nouvelles possibilités spirituelles
et matérielles.
J'ai besoin de toi, Ange **RÉHAEL,** pour
procéder au sacrifice des passions de mes
sentiments, afin que ma raison
accepte ce transit, ce passage,
cette élévation, vers une nouvelle situation
où la Paix intérieure engendrera
la Paix autour de moi ; et par surcroît,
avec ton aide providentielle,
cette nouvelle situation sera porteuse
de Bénédictions d'ordre spirituel et
aussi d'ordre matériel.

40 — IÉIAZEL

Ange Gardien des personnes nées
entre le 9 et le 13 octobre

Il est l'Ange **lunaire** de son Chœur ; il fait pénétrer l'énergie martienne, de son Archange, à l'intérieur de l'énergie lunaire, afin de libérer les **prisonniers** qui s'y trouvent. En effet, l'énergie lunaire est formée des autres énergies cosmiques (planétaires) ; on peut donc dire que, ces énergies cosmiques sont, là, prisonnières. Et, voilà que des énergies martiennes font irruption avec **Iéiazel** pour tout libérer, selon le Texte Traditionnel, qui explique que cet Ange peut nous **libérer** de tout ce qui nous tyrannise, brime, oppresse, persécute, inquiète, angoisse, préoccupe. Cet Ange est une sorte de **Zorro** libérateur. En tant que **lunaire,** il a pouvoir sur l'édition, les disques, la presse, la radio, la télévision et le cinéma ; sur tout ce qui est image et imagination. L'énergie lunaire produit aussi (par cet Ange), le **sel,** donc, ses **protégés** pourront avoir une vie pleine d'intérêt, s'ils invoquent leur Ange Gardien.

PRIÈRE A L'ANGE GARDIEN

IÉIAZEL : Réveille-moi, Seigneur, du rêve
de la raison logique, afin que mon entendement
puisse être fertilisé par des aspirations.
Je voudrais offrir à cette Société qui
m'entoure, une vision équilibrée
de ton Royaume.
Permets-moi Ange **IÉIAZEL** de me libérer
de mes ennemis intérieurs et extérieurs ;
de me dégager de tout ce qui me retient
prisonnier, dans des niveaux inférieurs,
afin que, par le canal de mon âme, puisse
circuler, couler, et se répandre,
ton Message : les dons et les pouvoirs
que tu veux m'accorder, et qu'ainsi
tout le monde ait pleine confiance en moi,
et que j'arrive, donc, par Ta grâce,
à la vie élevée spirituellement,
claire et paisible moralement, riche et
prospère matériellement.

LES ANGES GARDIENS
DU CHŒUR DES VERTUS

41 — HAHAHEL

*Ange Gardien des personnes nées
entre le 14 et le 18 octobre*

Gardien qui régit les énergies solaires et uraniennes; la conscience de la personne (son énergie
de type solaire) captera donc la Sagesse-Amour,
inculquée par l'énergie d'Uranus. On peut dire que
ce Gardien poussera la personne vers ce qui est
primordial; elle n'aimera pas ce qui est purement
matériel (la profession, la société), car elle aura
conscience que son **règne n'est pas dans ce monde.**
Cet individu n'est pas fait pour les travaux **mon-
dains**; il se sentira toujours mal à l'aise dans la
société de la Terre, et sa conscience le portera à la
réalisation (et au succès) de travaux désintéressés.
Ses paroles seront porteuses de Paix, ses mains
peuvent guérir. **Hahahel** est le plus élevé des Anges-
Solaires, et on peut pratiquement tout obtenir de
lui, pourvu qu'il s'agisse de quelque chose d'essen-
tiel.

PRIÈRE A L'ANGE GARDIEN

HAHAHEL : Transmets-moi, Seigneur,
ton souffle, et qu'il devienne en moi
fort et puissant comme le bras du bûcheron
lorsqu'il frappe avec sa hache !
Ton Message doit pénétrer en moi
intensément, afin que pas une seule goutte
de ton Amour ne puisse être perdue
dans de frivoles banalités, mondanités.
Aide-moi Ange **HAHAHEL** pour que cet Amour,
que je reçois de Toi, s'enrichisse
de mon propre amour humain, garanti par
mon comportement, par mes œuvres,
par mes sacrifices, au service
de mes proches.
Ne tolère pas que mes lèvres exigent
des autres, ce que je dois, moi-même,
accomplir ; mais maintiens-moi attaché
à ta Lumière, pour que je puisse, à tout
moment, et en tout lieu, être ton Messager.

42 — MIKAËL (Ange)

Ange Gardien des personnes nées
entre le 19 et le 23 octobre

Il représente l'énergie de Saturne, au sein du
Chœur solaire des Vertus. Avec ce Gardien,
l'Homme peut comprendre les lois du Monde, et
ainsi faire partie de l'ordre cosmique. **Mikaël** aidera
ses **protégés** à placer leurs consciences au service des
projets du Créateur. Ce qui signifie que, la parfaite
réussite de ces personnes, est assurée au travers de
l'**obéissance,** de la **fidélité,** à un directeur, à un chef
légitime. Le lien spirituel avec ce qui est supérieur,
fera que l'individu aura un prodigieux succès, dans
toute l'activité en rapport avec des niveaux supérieurs au sien. Comme l'énergie de Saturne est celle
qui structure les Lois, l'individu peut, de la main de
son Ange Gardien, devenir un grand acteur dans le
domaine législatif. Il faut **Prier** aussi pour ne pas
servir un chef illégitime.

PRIÈRE A L'ANGE GARDIEN

Ange **MIKAEL,** accorde-moi le privilège
d'instituer sur cette Terre l'ordre qui
est en vigueur dans le Ciel.
Fais que mon intelligence comprenne
le projet divin pour mon existence,
et guide-moi vers les circonstances
qui me permettront d'extérioriser
mon désir de Bonté et de Prospérité.
Que ta Lumière m'illumine, et que ta Force
m'aide, pour que je puisse diffuser
ce qui est conforme à la Règle d'Or
qui doit conduire le Monde
vers le Nouvel Âge d'Or, de Paix
et de Félicité.
Fais de moi une personne avide
de secrets cosmiques, de savoir spirituel.
Ange **MIKAEL** tu es mon seul Maître,
et je ne veux réussir que par ton pouvoir ;
obéissant et fidèle aux Lois divines
d'Amour et de Droiture.

43 — VEULIAH

*Ange Gardien des personnes nées
entre le 24 et le 28 octobre*

Ange Solaire (Vertu) régent, à l'intérieur de son Chœur, des énergies jupitériennes porteuses de vie, d'abondance, de richesse et de joie. Le Texte Traditionnel dit que cet Ange préside la Paix Universelle, et qu'il l'accorde à ses **protégés.** Mais, la Paix Paradisiaque, l'homme ne l'obtient que par la **guerre,** car nous vivons dans un Monde où les Lois Divines ne sont pas en vigueur (tout le contraire !). On peut dire, qu'avec l'aide de ce Gardien, la personne pourra se libérer de ce qui l'attache à sa nature inférieure, pour établir, dans sa Vie, la plénitude d'une existence lumineuse. Dès que la personne adressera la **Prière** à son Gardien, un grand changement se produira ; elle abandonnera la souffrance, pour vivre une vie heureuse. Dans son existence matérielle, cela la conduira depuis une situation de **besoin** jusqu'à une situation d'**abondance ;** d'un état de dépendance, de servitude, à un état de liberté et de pouvoir retrouvé.

PRIÈRE A L'ANGE GARDIEN

VEULIAH : Fais que la Lumière resplendisse
dans mon for intérieur, pour que mes
sentiments s'accommodent des exigences
de l'ordre moral universel, naturel.
Fais que mon amour se complaise en tout
ce qui est noble et élevé.
Fais que mon énergie intérieure se projette
vers de sublimes objectifs, et vers
des œuvres utiles.
Que mes sentiments, Ange **VEULIAH,** puissent
bien s'intégrer à ma mentalité ;
que mes désirs (les plus nobles) inspirent
ma raison, pour qu'ainsi sentiments et raison
engendrent des actes qui enrichissent
ma conscience, et mon existence.
Puisque j'ai été désigné par Toi, Ange
VEULIAH, pour participer à Ta **guerre,**
préserve-moi de toute haine et de toute
rancœur ; que ma **violence** soit au service
de Ta Justice ; que mon bras **armé** soit
celui de la Vertu et de la Justice
(de la Charité). Car mon but est celui
de mener une Vie utile, heureuse et juste.
Accorde-moi, Seigneur, le don d'une
Justice généreuse dans mon cœur, et
la grâce d'une existence prospère.

44 — YELAHIAH

*Ange Gardien des personnes nées
entre le 29 octobre et le 2 novembre*

Cet Ange Gardien, introduit, au sein du Chœur des Vertus, l'énergie martienne ; il conduit ses **protégés** à la Victoire, dans toutes sortes de luttes, il est la **Jeanne d'Arc** des Anges. Le Texte Traditionnel dit que la personne peut avoir une grande réussite dans la carrière militaire, car son Gardien lui fera sentir la meilleure façon d'exprimer son désir de lutter. Dans la vie civile, il sera aussi un lutteur, par la seule présence de son Gardien, mais celui-ci ne lui prêtera pas main-forte (sauf dans le cas de beaucoup de Prières) car, même si les luttes de la personne sont légales, elles risquent d'être illégitimes du point de vue cosmique, et ainsi engendrer du Karma à payer dans une prochaine existence, ce qui retarderait l'évolution de la personne. Quoi qu'il en soit, la personne ne doit pas renoncer à vivre des émotions fortes ; mais toujours, avant, pendant et après son action, elle doit **Prier** son Gardien.

PRIÈRE A L'ANGE GARDIEN

YELAHIAH : Si j'ai été choisi par Toi, comme
instrument de Ta Justice, garde-moi
à l'intérieur de ta Lumière,
et ne permets pas que mes sentiments
débordent, me poussant à faire justice,
moi-même.
Guide-moi, Ange **YELAHIAH,** vers les Livres
de Sagesse, où je puisse m'instruire
sur les Lois Divines ; sur l'organisation
et sur le fonctionnement du Cosmos.
Fais-moi réussir dans des emplois, dans
des travaux, dans des Entreprises, utiles
(réellement) aux Humains et à l'Œuvre Divine.
Et, puisque ta Force me sera accordée,
fais de moi ce Héros qui, par son
comportement, fait faire à la Société
un magistral **bond en avant !**

45 — SÉHALIAH

Ange Gardien des personnes nées
entre le 3 et le 7 novembre

Ange Gardien, authentiquement solaire ; et, de la même façon que l'énergie solaire purifie et vitalise toute chose, **Séhaliah** accorde santé et longue vie à tous ceux qui se trouvent sous sa protection. Si la personne est née dans un foyer pauvre, elle sera enrichie ; si elle est malade **Séhaliah** peut la guérir immédiatement. Il faut prier cet Ange qui, par sa Force, donnera la santé aux malades, la fécondité aux stériles ; les marginalisés, les dégradés, les humiliés, seront élevés, haut placés, et le grand espoir brillera dans tous les cœurs. Le Texte Traditionnel nomme ce Gardien, **Moteur de l'Univers,** et c'est vrai. Sans la chaleur solaire rien ne pourrait se manifester. Les **protégés** de ce Gardien, auront la possibilité de mener à bien toutes leurs impulsions intérieures ; tous leurs projets auront la possibilité de fleurir et de se concrétiser. En même temps, ces personnes stimuleront leurs entourages ; elles sont comme des **réveils,** faits pour réveiller des enthousiasmes endormis.

PRIÈRE A L'ANGE GARDIEN

SÉHALIAH : Seigneur, je me sens mûr,
comme un Soleil qui a besoin de répandre
sa semence, sa graine, sur le Monde ; et Tu
dois m'aider à faire sortir de moi, mes Vertus
(celles que tu m'accordes) avec discernement.
Que sorte de moi, seulement ce qui est
utile aux autres, et au développement
de l'Œuvre Divine.
Fais, Ange **SÉHALIAH,** que par moi,
puissent trouver leur plénitude, ceux qui
sont poussés, par un désir ardent de servir,
de se rendre utiles.
Préserve-moi, cependant de tout excès.
Que mes étés ne soient pas trop **torrides**
ni mes hivers trop **froids.**
Permets-moi de toujours agir
à l'unisson avec Toi, avec le battement
du Cœur du Monde, afin que la
réussite que tu m'accorderas, soit Ta propre
réussite, et celle du Maître du Monde.

46 — ARIEL

*Ange Gardien des personnes nées
entre le 8 et le 12 novembre*

Ange qui régente des énergies vénusiennes et solaires, en même temps. Le Texte Traditionnel dit qu'on invoque ce Gardien pour voir, de façon anticipée, notre avenir ; il porte le titre de « Dieu Révélateur », et peut nous faire découvrir des trésors cachés, afin de nous aider à réaliser nos aspirations, nos souhaits. L'or, l'argent, les billets de banque, ne sont que de la **lumière condensée ;** si nous en avons, nous pouvons réaliser nos projets bien plus rapidement que si nous n'en avons pas. Les **Prières** à cet Ange Gardien doivent porter, **principalement,** sur des demandes de biens matériels qui, de toute évidence, permettront d'agir utilement et rapidement. L'Œuvre Divine, est le monde **matériel,** visible ; et Dieu souhaite la réussite de sa Création. Les **protégés** de **Ariel** pourront faire une découverte très importante, soit spirituelle, soit un trésor matériel, qui changera, dans les deux cas, leur vie, car ils disposeront de nouvelles possibilités.

PRIÈRE A L'ANGE GARDIEN

ARIEL : Seigneur, je veux me dégager de mes
filets de matière, pour parcourir
tes espaces infinis, ton monde spirituel.
Je veux dépasser le monde concret matériel,
pour me saturer d'éternité !
Révèle-moi, Ange **ARIEL,** tous les secrets
enfermés dans ta profondeur divine, afin
que je puisse les transmettre à la Société
des Humains, mes frères.
Illumine, Seigneur mes centres de perception
spirituelle, pour que je puisse dévoiler
et montrer à mes frères humains, les **trésors**
cachés, **endormis,** quelque part dans les
profondeurs de mon être, et de leurs êtres.
Et alors accorde-moi la grâce de réussir
pleinement mon existence, car ma réussite
sera Ta réussite et celle du Créateur et
Maître de l'Univers, pour le plus grand
Bien de tous.

47 — ASALIAH

*Ange Gardien des personnes nées
entre le 13 et le 17 novembre*

Ange mercurien du Soleil, que le Texte Traditionnel nomme **Ange de Justice et de Vérité**; ce qui est
d'une exactitude totale (la Vérité est l'énergie
solaire, et la Justice celle de Mercure). Concrètement la personne peut réussir pleinement des tâches
intellectuelles, car **Asaliah** illuminera intensément
son intellect et ses pensées. Les deux énergies, du
Soleil et de Mercure, agissant de concert, chassent
loin de la personne les pensées mauvaises, erronées.
La mémoire est prodigieusement renforcée. Avec
une mémoire puissante, et des idées claires, la
personne trouvera des solutions utiles à tous ses
possibles problèmes, et à la réussite de tous ses
projets. **Prier** cet Ange Gardien est extraordinaire-
ment bénéfique. Cette dernière phrase est valable
pour tous les Anges Gardiens, mais je ne peux pas la
répéter constamment : tout est possible au travers
de **notre Ange Gardien,** qui nous aime passionné-
ment !

PRIÈRE A L'ANGE GARDIEN

ASALIAH : Seigneur, aide-moi à m'éloigner
de toute obscurité.
J'abandonne les châteaux du matérialisme,
pour avancer dans Ta Terre Promise.
Dans un très lointain passé,
j'ai été manipulé par Toi,
j'ai été ta fidèle marionnette.
Plus récemment j'ai voulu
structurer le Monde, seul, en accord avec
la Leçon apprise jadis. Et à présent,
Seigneur, je veux agir **avec Toi,**
librement et volontairement :
Ta main dans ma main : moi en tant
qu'Humain, Toi comme Ange Gardien.
Ton souffle dans mon élan !
Je veux que nous laissions des jalons, des
marques, des empreintes, afin que, ceux
qui nous suivent, trouvent déjà un chemin
signalé, tracé, balisé ; et découvrent
la réussite, le succès que l'on obtient
inéluctablement, et sans aucune exception,
lorsque l'on travaille au service de
la Création, au service de l'Œuvre, du Projet
Divin, du Règne de la Paix et du Bonheur.

48 — MIHAEL

*Ange Gardien des personnes nées
entre le 18 et le 22 novembre*

Ange régent des énergies lunaires, au sein du Chœur solaire ; il oriente la vie matrimoniale (la vie des couples), et est l'agent fécondant par excellence. Ce Gardien peut résoudre les cas de stérilité (ses **protégés** peuvent lui adresser des **Prières** à tout moment ; les autres, le Jour de Raphaël-Archange, le Dimanche). Les personnes qui ont cet Ange pour Gardien pourront établir des rapports harmonieux et profonds avec le sexe contraire. Ces relations seront heureuses et pleines **d'images,** d'anecdotes, d'aventures (amoureuses) enrichissantes. Le Texte Traditionnel dit, que cet Ange aimera que ses **protégés** se promènent beaucoup, et qu'ils goûtent à tous les plaisirs (spirituels et matériels).

PRIÈRE A L'ANGE GARDIEN

MIHAEL : Permets-moi, Seigneur,
de transmettre la Vie, fais que tout
fleurisse autour de moi, et dépose en moi
la bonne graine, afin que tout ce qui
germera, en moi, soit digne de
Ton regard et du regard de l'Éternel.
Je veux, Ange **MIHAEL,** que
de mon actuel (et provisoire)
obscurcissement naisse Ta Lumière ;
que de mon sacrifice naisse une
fontaine de Vie.
Je veux que tu déposes entre mes mains
la baguette magique
qui trouve les sources d'eau profonde
pour que je puisse faire jaillir
dans la terre, souvent aride
des Humains, ton Eau Divine,
qui émane du Feu Créateur,
et qui produira la fertile et féconde
abondance en tout, partout,
et pour tous.

LES ANGES GARDIENS
DU CHŒUR DES PRINCIPAUTÉS

49 — VÉHUEL

*Ange Gardien des personnes nées
entre le 23 et le 27 novembre*

Il est l'Ange uranien du Chœur des Principautés vénusiennes ; il est l'Ange le plus sublime, le plus exalté ; celui qui réunit les plaisirs du Ciel avec les jouissances de la Terre ! Il intensifie les perceptions des cinq sens, et tout est resplendissant autour de ses **protégés** (s'ils se relient à Lui, bien entendu !) : voir, entendre, sentir, toucher, goûter, tout sera si intense qu'on louera le Créateur, on le bénira ! L'individu pourra développer de nombreuses capacités et vertus ; il sera remarqué et aimé partout ! non seulement par son talent naturel, mais à cause de l'aide **providentielle** que l'Ange lui impartira. Il sera très généreux, et tout son entourage se sentira protégé, par sa seule présence (qui sera, en fait, la présence de **Véhuel**).

PRIÈRE A L'ANGE GARDIEN

VÉHUEL : Seigneur : fais pencher mes
aspirations, vers ce qui est élevé et noble,
vers ce qui est digne de Ton Saint Nom.
Permets-moi, Ange **VÉHUEL,** de faire monter
vers tes Hauteurs, toutes les créatures
qui s'approchent de moi ; laisse-moi leur
faire sentir, dans mon souffle, le
parfum angélique de Ta Transcendance.
Oriente mes pas vers les (hautes) Montagnes,
jamais vers les (basses) Vallées ;
vers des sommets inaccessibles,
au-delà des nuages, vers l'éther pur
de la voûte céleste.
Fais briller en moi Tes vertus,
Tes dons et Tes pouvoirs !
Non pas pour orner ma vanité,
mais pour témoigner, Seigneur,
de ta présence resplendissante.

50 — DANIEL

Ange Gardien des personnes nées
entre le 28 novembre et le 2 décembre

Daniel gère les énergies de Saturne et de Vénus. Il **inocule** la bonté, la beauté et l'harmonie, aux Lois humaines ; il porte le titre d'**Ange Miséricordieux.** Ses **protégés** sont pondérés, de bon conseil, porteurs d'harmonie et de **justice,** dans le sens le plus humain de ce mot ; c'est-à-dire que la personne, avec l'aide de son Gardien, trouvera la pleine satisfaction de ses désirs humains, sans enfreindre la Loi Divine. Ces individus sont des juges-nés, même s'ils n'exercent pas cette profession ; ils sont les meilleurs avocats pour nous défendre (avec titre ou sans titre). Nous pouvons **Prier** cet Ange Gardien, à ce propos ; les effets sont immédiats ! Les personnes qui ont cet Ange pour Gardien, peuvent développer le don de l'éloquence ou/et du chant ; ils persuaderont sans efforts. Possibilité de succès spectaculaires dans le domaine des **affaires** car, l'esprit de conciliation, et de bon jugement, leur sera accordé. Bref ! **Daniel** garantit la réussite (dans la Vie) à tous ses **protégés.**

PRIÈRE A L'ANGE GARDIEN

DANIEL : Insuffle en moi la vertu de rajeunir
avec mon élan, les êtres et les choses ;
fais, Seigneur, que je puisse révéler aux
autres, leur propre potentiel endormi. Et
fais, Ange **DANIEL,** que je représente, pour
tous, la naissance de nouveaux espoirs.
Que grâce à moi, l'on découvre la fraîcheur,
la grâce et le parfum d'éternité, gisant
dans la pierre ; et, qu'en même temps,
soit révélé, clairement, l'effet réel,
foudroyant, des ressources morales pour
changer des situations, apparemment
irrémédiables. Que je puisse, **DANIEL,** être
celui qui fait sortir ses proches, son
prochain, du doute, de l'incertitude, de
l'indétermination, des hésitations, des
préoccupations ; celui qui leur fait voir
de nouvelles perspectives d'avenir, et qui,
sur des bases réelles, leur redonne confiance
et joie de vivre.
Permets Seigneur que je réussisse pleinement
ma Vie d'Humain sur Terre, et qu'avec moi
réussissent tous ceux qui sortent de dures
étapes d'adversité et de rigueur.
Ange **DANIEL,** avec ton aide, nous pouvons
tout réussir.

51 — HAHASIAH

*Ange Gardien des personnes nées
entre le 3 et le 7 décembre*

Rayonnement jupitérien du Chœur des Principautés (d'énergie vénusienne). **Hahasiah** est porteur, surtout, d'une bonté infinie ! Le Texte traditionnel informe, que cet Ange Gardien fait découvrir les mystères de la Sagesse et de la Nature, spécialement la fameuse **Pierre Philosophale,** et la **Médecine Panacée Universelle.** La personne, sous la protection de **Hahasiah,** pourra posséder un énorme et impressionnant savoir qui, en fait, ne proviendra pas des expériences matérielles, ni des études, mais de ce que l'Ange Gardien lui infusera directement, en vertu de mérites acquis dans des vies antérieures. La personne sera à même de connaître les propriétés des règnes inférieurs, et pourra demander et obtenir des pouvoirs pour se guérir et guérir les autres. Oui, elle pourra rétablir la santé chez les malades (corps et esprit) et, partout où elle agira, elle pourra devenir un être éminemment utile ; **providentiel** même.

PRIÈRE A L'ANGE GARDIEN

HAHASIAH : Ô Ange Éternel !
Puisque tu m'as choisi, moi, pour être
le bras qui distribue Ta Providence,
aide-moi à effacer mes erreurs,
et inscris à mon **compte** mes actes de bonté,
pour que la balance de mes actes
sur Terre, fasse pencher le fléau
du bon côté.
Instruis-moi, Ange **HAHASIAH,**
sur tes desseins secrets,
ne fais pas de moi un instrument aveugle ;
fais, au contraire, que ma conscience
se trouve illuminée de Ta Lumière,
afin que je puisse, en effet, soulager,
la douleur physique et morale
de ceux qui souffrent ; que je puisse guérir
les autres et me guérir moi-même
c'est-à-dire rétablir l'harmonie en moi,
pour accomplir mon devoir humain
d'être utile aux autres et à moi-même,
par une réussite morale et matérielle.

52 — IMAMIAH

*Ange Gardien des personnes nées
entre le 8 et le 12 décembre*

Ange régent d'énergies martiennes et vénusiennes. Le Texte Traditionnel nous dit que cet
Ange sert pour détruire le pouvoir de nos ennemis,
et qu'il suggère aux prisonniers les moyens d'obtenir
la liberté. Cette dynamique concerne, d'abord,
notre nature intérieure ; notre ennemi est notre
volonté négative, nos désirs pervers. Cet Ange nous
libère de cette servitude, en nous donnant les
moyens de nous rendre libres ; c'est-à-dire qu'il
purifie nos espaces intérieurs (si nous le lui demandons) ; il expulse de notre for intérieur nos mauvaises passions, pour y placer de bons et beaux
sentiments. Le Texte T dit que la personne réalisera
toutes sortes de travaux, très facilement (Mars est le
travail, et Vénus la facilité, la douceur). L'Ange
rendra facile l'extériorisation de ces Forces, et la
personne réussira pleinement dans la vie sociale,
lorsqu'elle s'occupera de la protection des prisonniers, ou du soutien de ceux qui traversent des
moments pénibles.

PRIÈRE A L'ANGE GARDIEN

IMAMIAH : Seigneur, fais que mes ennemis
comprennent que je ne fais pas partie de
leur monde. Dis-leur que j'ai été brûlé
par Ton Feu, et que je ne peux pas tenir
les promesses faites, un jour passé, par
ma personnalité matérielle.
Libère-moi, Ange **IMAMIAH,** des engagements,
et des responsabilités, de mon passé.
Aide-moi à monter vers tes Demeures Célestes
car je travaille, déjà, ici dans ce Monde
selon tes poids et tes mesures, poussé par
tes dons et par les pouvoirs que tu
m'accordes.
Je veux construire, pour moi et pour mes
proches (pour tous) un nouveau Paradis ;
illumine-moi afin que je puisse réussir
pleinement

53 — NANAEL

Ange gardien des personnes nées
entre le 13 et le 16 décembre

Cet Ange est la face solaire des énergies vénusiennes du Chœur des Principautés. Il est l'Ange le plus resplendissant, le plus lumineux (avec Véhuel). Le Texte Traditionnel, dit que **Nanael** permet de **voir** Dieu et de monter les 22 marches de l'échelle de Jacob. Connaître la Vérité, en Haut, signifie que le **protégé** de ce Gardien exprimera la vérité en Bas, ce qui est juste. Ceci orientera l'individu vers la magistrature, mais il n'appliquera pas la Loi avec la sévérité de l'ancien Talion, mais selon la nouvelle règle que Jésus, le Christ, est venu implanter, et qui tient compte de cette **échelle** de 22 niveaux, où l'on peut voir dans quel échelon se trouve l'homme qui doit supporter la Loi. Cet Ange Gardien est en mesure de nous faire posséder la Vérité, de nous faire Voir, Sentir, Percevoir avec nos 5 sens, ce qui est juste et utile. On peut obtenir de lui tous les pouvoirs, pour implanter l'ordre et le bonheur du Ciel sur cette Terre.

PRIÈRE A L'ANGE GARDIEN

NANAEL : Apprends-moi, Seigneur, ton ordre
divin ; montre-moi l'engrenage qui fait tourner
Ta Justice parfaite ; révèle-moi les particularités
de tes Lois, de tes Règles, pour que je puisse,
sur cette Terre, être l'exécutant de ton
Sublime Mandat, et monter et descendre sur
La Grande Échelle des Anges.

Aide-moi, Ange **NANAEL,** à trouver une demeure
propice pour que Toi et moi,
nous puissions communiquer ; un endroit
pour honorer l'Éternel ; un endroit pour
construire cette Sainte Échelle de 72 degrés.
Un logement dans mon intérieur, et extérieurement,
pour engendrer les 12 Tribus symboliques
qui établiront, dans le Monde, ton resplendissant
Royaume ; L'Âge d'Or des temps à venir.

NANAEL, ne permets pas que Ta Lumière
m'éblouisse
pour faire de moi un être vaniteux et insolent,
car je veux être l'humble artisan de Ton Dessein ;
celui qui met en œuvre le projet de son Ange.

54 — NITHAEL

*Ange Gardien des personnes nées
entre le 17 et le 21 décembre*

Le Texte Traditionnel indique que cet Ange Gardien peut être **utilisé** pour obtenir l'aide divine, afin de vivre très longtemps et en bonne santé. Cette aide divine, ce Gardien la placera d'abord à l'intérieur de la personne, et cela apportera un bon fonctionnement du corps et une longue vie. Après, cette **aide divine,** se déversera autour de la personne ; laquelle sera reconnue par ses pouvoirs et par son activité bienfaisante. Cet Ange, qui accorde le pouvoir par la **grâce de Dieu,** a été celui du Roi Salomon. De plus, on peut demander à **Nithael** la **Beauté,** car il est l'Ange de Vénus, ainsi que la bonté et l'abondance de biens légitimes. La personne, si la cause est noble, peut demander le pouvoir de séduction, et celui d'inspirer confiance. En outre, **Nithael** transmet **directement,** aux fils et filles de ses **protégés,** tout ce qu'ils auront demandé pour eux-mêmes ; sa protection Providentielle s'étend à tout l'entourage.

PRIÈRE A L'ANGE GARDIEN

NITHAEL : Installe en moi, Seigneur, le
sentiment que ô combien passagères
sont les choses de la Vie !
Ne permets pas, Ange **NITHAEL,** que je
m'identifie avec la gloire, qui me vient
de Toi ; ni que je considère comme miens,
acquis, les pouvoirs offerts, aussi par
Toi.
Je veux être, Seigneur, l'**acteur** de ta **pièce,**
l'ouvrier bâtisseur de ton Œuvre.
J'accepte d'être tantôt roi, tantôt mendiant.
Oui, dans la richesse et dans la misère,
je resterai fidèle au Chemin que Tu m'as
tracé. Aide-moi, Ange **NITHAEL,** à avoir
toujours soif de spiritualité, et de savoir,
car tout le reste me sera offert, comme
au Roi Salomon, par surcroît.

55 — MÉBAHIAH

*Ange Gardien des personnes nées
entre le 22 et le 26 décembre*

Mébahiah régente les énergies de Mercure, dans le Chœur des Principautés qui, globalement, utilisent celles de l'Archange **Haniel,** qui sont vénusiennes. L'union de ces deux forces (énergies) fait que, cet Ange Gardien, est porteur de fécondité (Vénus) et d'éloquence (Mercure), selon la précision du Texte Traditionnel. Hiram Roi de Tyr, le bâtisseur du (premier) Temple de Jérusalem (celui du Roi Salomon), a eu cet Ange pour Gardien. **Mébahiah** souhaite que l'intellect, la pensée, de ses **protégés** soit au service de la vérité, et de quelque projet important ; et, dans ces cas, **rien n'est impossible,** en lui adressant sa Prière ou en l'invoquant.

PRIÈRE A L'ANGE GARDIEN

MÉBAHIAH : Donne-moi, Seigneur,
la force physique d'un Samson, pour
transporter sur mes épaules — sans être
accablé — Ton Éternelle Vérité.
Que ma force physique soit à l'image
de ton pouvoir moral et spirituel.
Trouve en moi, Ange **MÉBAHIAH,** un être
utile pour ton Œuvre dans le Monde.
Je veux être ton charpentier, ton forgeron,
ton plombier, ton maçon, celui qui élabore
une partie des choses, des (apparemment)
petites choses, qui permettent à la Vérité
de s'accommoder, de prendre place,
de se sentir à l'aise dans la vie matérielle ;
des actions qui permettent à la Vérité
de s'établir dans les demeures des Humains.
Ange **MÉBAHIAH,** par Toi, on peut réussir
les grandes, comme les petites, choses ;
aide-moi, aide-nous, à avancer vers le succès.

56 — POYEL

*Ange Gardien des personnes nées
entre le 27 et le 31 décembre*

Poyel est, sans doute, l'Ange le plus séduisant ; et, celui qui l'a pour Gardien, est un heureux mortel ! Ce n'est pas par hasard, si ce Gardien est en activité près de lui, mais grâce à son travail dans ses vies antérieures. **Poyel** est si merveilleux, tout simplement, parce qu'Il (Principauté de Vénus) concrétise des énergies de la Lune, celles qui forment les **images** de notre intérieur. Les énergies de Vénus (Beauté et Santé) portant, incorporées celles d'Uranus (Amour) et celles de Jupiter (Richesse et Pouvoir), cet Ange Gardien offre à l'âme de ses **protégés,** les plus riches cadeaux ! Tout cela sera offert, avec une si grande abondance, que l'individu pourra tout projeter à l'extérieur. Alors, en plus de sa réussite totale, il recevra **l'estime de tous.**

PRIÈRE A L'ANGE GARDIEN

POYEL : Seigneur, je veux que mes lèvres expriment, seulement ce qui est digne et élevé. Je veux que mon verbe fasse découvrir, à ceux qui m'écoutent, la profondeur de ton Message, l'éclat de ta Lumière.
Accorde-moi, Ange **POYEL,** une réussite absolue, car je veux que, tous ceux qui ont recours à moi, trouvent soutien et réconfort moral, certes, mais aussi matériel.
Vivifie, Ange **POYEL,** ma parole, fais qu'avec elle je puisse ouvrir des larges perspectives d'avenir, pour moi-même, pour mes proches, pour tous.
Fais, qu'au travers de moi, tes dons, tes vertus, et tes pouvoirs, s'expriment concrètement. Fais de moi, Seigneur, l'un des bâtisseurs de la Nouvelle Jérusalem, cette Ville Éternelle que tu as déjà édifiée dans le Ciel.

LES ANGES GARDIENS
DU CHŒUR DES ANGES-ARCHANGES

57 — NÉMAMIAH

Ange Gardien des personnes nées
entre le 1ᵉʳ et le 5 janvier

On peut dire que cet Ange est la **face** uranienne des énergies de Mercure ; il est l'Ange le plus élevé de son Chœur, le Texte Traditionnel dit, qu'on peut **s'en servir** pour faire prospérer toute chose, et pour libérer des prisonniers. En effet, les énergies d'Uranus sont porteuses de prospérité (et de santé) et, réunies avec celles de Mercure (intelligence), elles nous libéreront des tendances intellectuelles qui nous retiennent prisonniers, dans la routine. **Némamiah** nous accordera une lucidité totale, lorsque nous souhaiterons agir dans des actions justes et grandioses ; il nous fera réussir toute action en faveur de la Vérité, et du Bien ; il est l'Ange de la **grandeur d'âme.**

PRIÈRE A L'ANGE GARDIEN

NÉMAMIAH : Puisque je dois diriger la stratégie
de mes **batailles** dans la Société, que l'Amour
et la Beauté soient mes objectifs, Seigneur !

Aide-moi, Ange **NÉMAMIAH,** pour qu'il n'y
ait pas d'autre dessein, d'autre projet,
en moi, que celui d'édifier sur Terre, ce
qui existe déjà dans le Ciel.
Donne-moi du courage pour affronter
mes responsabilités, et de la lucidité
pour réaliser les choses en temps voulu,
sans précipitation, sans brûler les étapes.
bien que sans pauses inutiles.
Je veux lutter et avancer vers la Terre
Promise, mais garde-moi d'y pénétrer
par anticipation, car mon premier devoir
est de réussir, ici et maintenant (avec
ton aide Providentielle).

58 — YÉIALEL

*Ange Gardien des personnes nées
entre le 6 et le 10 janvier*

Cet Ange régente des énergies de Mercure (de par son appartenance au Chœur des Anges-Archanges) en même temps que des énergies de Saturne (de par sa **personnalité,** ou position dans le Cosmos). L'aide que ce Gardien apporte est le résultat d'un travail très précis et très soigné ; la **vérité** qu'il nous fait voir est **scientifique,** et l'Ange exclu tout ce qui s'écarte de ce concept. Ses **protégés** réussiront dans les sciences, et dans les professions où l'intellect pourra agir lentement, avec patience. Ce Gardien, dit le Texte Traditionnel, accorde une intelligence pénétrante, incisive comme un couteau. La personne comprendra clairement les faits, la Vérité, et la défendra (ou l'utilisera) sans faiblesse. Ses idées seront permanentes, claires ; c'est par elles, que **Yéialel** lui accordera la réussite.

PRIÈRE A L'ANGE GARDIEN

YÉIALEL : Arme mon bras, Seigneur, pour que
j'agisse avec mon regard tourné vers
l'Éternel ; pour que mes édifications
servent à héberger le Bonheur des Humains.
Place, Ange **YÉIALEL,** mon intelligence
au service de besoins réels ; ne permets
pas que je l'utilise pour prouver le
bien-fondé de mes préjugés.
Fais que mon combat comporte toujours,
à tout moment, un objectif utile, profitable
à la Communauté à laquelle j'appartiens
et à moi-même, pour en faire bénéficier
mes proches.
Garde-moi, Ange **YÉIALEL,** de la violence ;
fais que je sois, toujours, capable
de céder plutôt que de détruire.
Garde, Seigneur, ta main, ta protection,
sur moi, conduis-moi à la plénitude.

59 — HARAEL

Ange Gardien des personnes nées
entre le 11 et le 15 janvier

Harael est l'Ange Gardien le plus fructueux, le plus productif de tous les Anges! La fécondité qu'il dispense, provient de la conjonction des énergies de Mercure et Jupiter, qu'il régente. Ce Gardien accorde, à ses **protégés,** une intelligence **toute-puissante,** et des facilités concernant la diffusion intellectuelle (imprimerie, librairie, éditions, émissions de radio, télévision, cinéma...). Donc : l'individu réussira facilement tout travail intellectuel, il apprendra avec facilité, et réussira ses examens. Son action intellectuelle sera positive ; il diffusera le bien, la beauté et la vérité. La réussite est assurée par l'invocation de l'Ange Gardien avant, pendant et après l'action. En fait le succès dépend, certes, des aptitudes de chacun mais, par la **Prière** à l'Ange Gardien, nous obtenons **la possibilité de concrétiser** nos capacités, nos aptitudes, nos souhaits, nos projets.

PRIÈRE A L'ANGE GARDIEN

HARAEL : Je veux, Seigneur que, si par
les actes méritoires de mes vies passées,
Tu fais descendre du Ciel, de l'**Or**
pour moi,
également, arme-moi, d'un ardent désir
de tout investir dans la promotion de ton
Règne.
Donne-moi, Ange **HARAEL,** un niveau de sagesse
qui me permette d'utiliser la puissance
et la richesse que tu m'accorderas,
pour que ma Vie (et la Vie de tous)
devienne de plus en plus facile,
de plus en plus plaisante, agréable,
créative, expansive, élevée, utile.
Donne-moi le goût et l'impulsion de servir,
accorde-moi le désir de donner généreusement,
donne-moi la Volonté, ferme et décidée,
d'être celui qui transmet,
l'agent, le distributeur,
de Ta Bonté parmi les Humains
afin que le Monde soit heureux,
et puisse, enfin ! œuvrer selon
la Loi Divine.

60 — MITZRAEL

Ange Gardien des personnes nées
entre le 16 et le 20 janvier

Il est la **face** (l'aspect) martienne des énergies de Mercure exprimées, globalement, par le Chœur des Anges-Archanges, sous l'autorité de l'Archange **Mikaël** (Saint Michel). L'aide de **Mitzrael** est centrée sur le **travail ;** travail intellectuel pour parfaire nos idées ; travail de rectification et de **redéploiement** de notre système mental. Si cet Ange est notre Gardien, c'est qu'il nous est nécessaire, afin que, avec son aide, nous puissions, en effet rénover notre mentalité. Bref ! la personne aura une pensée claire, grande capacité de travail intellectuel, cerveau vigoureux ; effort intellectuel aisé (infatigable) ; victoire dans les concours et examens, dans les compétitions d'habileté, dans des tournois d'adresse, jeux télévisés, jeux de société basés sur la culture et sur la mémoire. Cet Ange donne à ses **protégés,** du **talent** pour réussir.

PRIÈRE A L'ANGE GARDIEN

MITZRAEL : Nettoie, Seigneur, les conduits
de mon organisme, pour que tes sublimes
énergies puissent y circuler
sans rencontrer aucun obstacle.
Fais, Ange **MITZRAEL,** que je puisse vivre
selon mes possibilités les plus élevées,
pour ainsi pouvoir créer, autour de moi,
Ta divine harmonie, Ta divine sagesse,
Ta divine richesse (morale et matérielle)
Ne permets pas que mon talent
(que le talent que tu m'offres)
soit au-dessus de mon honnêteté, car
je veux, aussi, servir d'exemple.
Rends-moi fidèle au Monde des Anges, afin
que tous mes mots, tous mes gestes,
soient le reflet de la Vie Céleste,
remplie de Lumière et de Joie.

61 — UMABEL

*Ange Gardien des personnes nées
entre le 21 et le 25 janvier*

Il est l'aspect solaire des énergies de Mercure (régies par l'Archange **Mikaël**). Le Texte Traditionnel dit, que l'on peut **se servir** de cet Ange Gardien pour comprendre la physique et l'astrologie ; et pour se **connaître soi-même.** Avant d'agir, **le protégé** d'Umabel doit consulter son for intérieur car, c'est depuis sa conscience que son Gardien se fera entendre. Il aura la possibilité de comprendre la Pensée de son Ange, et apprendra **facilement** les Mathématiques, la Physique et l'Astrologie (point important car, si l'Astronomie est une matière facile, l'Astrologie — le fonctionnement de l'Univers, des Sociétés, et de l'Homme — est assez difficile à apprendre). La personne a un cœur très sensible, un grand cœur solaire ; un cœur qui a **des raisons,** que la raison ignore, un cœur plein de très bons pressentiments qui deviendront des réalités, des succès.

PRIÈRE A L'ANGE GARDIEN

UMABEL : Que mes passions soient, Seigneur,
celles d'aimer et de bénir mes proches
et Dieu. Que mon souhait ardent soit celui
d'être utile à mon prochain et à moi-même

Que ma quête, même dans mon for intérieur,
n'ait pas d'autre but que de te trouver
Toi en moi ; Ta force dans ma faiblesse.

Tu es, Ange **UMABEL,** mon avenir.
Ne t'éloigne pas de moi
afin que tous ceux qui m'entourent,
à la recherche d'un ami, d'un appui,
puissent te trouver Toi, au travers de moi.
Par ta Force et par ma Volonté
je pourrai pleinement réussir
et faire réussir mon prochain.
Je compte sur ta présence et sur
ton Amour pour moi

62 — IAHHEL

Ange Gardien des personnes nées
entre le 26 et le 30 janvier

Ce Gardien accorde, à la fois, **la raison et la sensation,** car il régit des énergies de Vénus, en plus de celles mercuriennes du Chœur auquel il appartient. Les **protégés** de cet Ange trouveront les clefs de la réussite au travers de la réflexion des vérités apportées par leurs 5 sens. C'est lors de cette réflexion, que le divin **Iahhel** leur donnera la marche à suivre pour atteindre le succès. Si leur volonté d'action, est au service d'une œuvre positive, ceux qui ont cet Ange pour Gardien, réussiront; tel qu'il est indiqué dans le Texte Traditionnel, sans bruit, sans fatigue, sans précipitation, dans la paix d'une demeure tranquille, loin des agitations mondaines. Ils seront tendrement aimés, dans leur paisible retraite, sans agitation.

PRIÈRE A L'ANGE GARDIEN

IAH-HEL : Vivifie-moi, Seigneur.
Fais que le courant de ta Pensée circule
dans mon cerveau et le régénère.
Fais que les élancements de mon cœur,
battent à l'unisson avec ceux de Ton Cœur.
Que mon geste soit Ton Geste
que ma parole soit Ta Parole.
Fais qu'en moi le masculin et le féminin
occupent leurs places respectives ; et
ne permets pas que mon imagination exaltée
me porte à ambitionner d'autre luxe
que celui de comprendre la merveilleuse
Machine du Monde, que l'Éternel a créé.
Trouve-moi, Ange **IAH-HEL,** une demeure
où pouvoir t'exalter, te célébrer, et où
il me soit possible de maintenir avec Toi
une permanente connexion, afin de disposer
des dons et pouvoirs que tu veux m'accorder,
qui feront de moi un être comblé, avec
l'esprit libre et disposé à s'envoler
vers les Hauteurs de la Spiritualité.

63 — ANAUEL

*Ange Gardien des personnes nées
entre le 31 janvier et le 4 février*

Voici le **Messager des Dieux,** le plus proche collaborateur de **Mikaël Archange** (Saint-Michel) ; Ange mercurien par excellence, qui reçoit tous les messages de tous les Anges, qui les classe par ordre d'urgence, avant de les faire circuler, et distribuer (par les forces lunaires gérées par l'Ange-Archange Méhiel). Le Texte Traditionnel dit que l'on peut **se servir** de cet Ange pour porter les Nations vers des régimes logiques, et pour confondre les ennemis. Donc, en priant cet Ange Gardien, l'ennemi capitulera devant notre logique pour devenir notre ami. Ange Coordonnateur des énergies Cosmiques, **Anauel** nous protégera des accidents, guérira nos maladies, nous fera vivre en bonne santé, dans un havre de paix ; sans oublier, qu'étant l'Ange mercurien numéro **1,** il nous fera gagner beaucoup d'argent (dans le commerce, les affaires, la bourse...). Nous pouvons lui demander : paix, intelligence et argent.

PRIÈRE A L'ANGE GARDIEN

ANAUEL : Permets-moi, Seigneur, de mener
à bien mes objectifs spirituels et matériels.
Fais que je place mes moyens au service
d'une Société Humaine, fraternelle et
solidaire.
Que tout, en moi, fonctionne comme au Ciel.
afin que l'harmonie en moi (et dans mon
comportement) suscite chez les autres
un désir d'émulation.
Accorde-moi, Ange **ANAUEL,** le bon sens
afin que, pas une goutte ne se perde,
dans des actions futiles et vaines, du pouvoir que tu
   m'accorderas.
Je veux être le Financier parfait,
que tu représentes au Ciel. Je veux que
tu me fasses pressentir
où je dois effectuer des investissements,
afin que mon Or
se transforme rapidement en Lumière.

64 — MÉHIEL

*Ange Gardien des personnes nées
entre le 5 et le 9 février*

Cet Ange Gardien dispose d'énergies lunaires autres que celles de Mercure, propres à son Chœur et à son Archange (**Mikaël**). Les vertus mercuriennes sont introduites, chez les individus, par cet Ange, avec sa puissance lunaire ; elles sont concrétisées par des actions, elles deviennent événements et situations. La personne guidée par ce Gardien, exprimera la logique, la raison, de façon évidente ; elle pourra tout expliquer au travers des exemples et des images, que **Méhiel** lui suggérera (lui inspirera) abondamment. Elle peut devenir un romancier à succès, un orateur connu. Dans tout ce qui touche l'imprimerie, les livres, et toutes les œuvres où l'**imagination** intervient, elle sera l'intermédiaire idéal, attendu par tous.

PRIÈRE A L'ANGE GARDIEN

MÉHIEL : J'espère de Toi, Seigneur, l'aide
concrète qui me permette de bien utiliser
les dons et pouvoirs que tu m'accordes,
pour instruire les hommes (par la parole
et par l'écriture) sur les éternelles
Vérités.

Les facultés que je peux acquérir
dans la Vie, peuvent s'unir à celles que
Tu m'accordes et, ensemble,
nous pouvons vivifier, avec elles,
tous ceux qui « dorment ».
Je n'abrite pas d'autre ambition que celle
de transmettre à mes frères, la beauté
et l'utilité de Ton Univers.
Ce n'est pas une tâche facile,
je pourrai la menr à bien, seulement si,
Toi, Ange **MÉHIEL,** me prêtes ton concours
et ton inspiration.

LES ANGES GARDIENS
DU CHŒUR DES ANGES

65 — DAMABIAH

Ange Gardien des personnes nées
entre le 10 et le 14 février

Ce Gardien régente les énergies uraniennes au sein de son Chœur (lunaire) régi par l'Archange **Gabriel.** Le Texte Traditionnel le nomme **Source de toute Sagesse. Damabiah** émane, vers son **protégé,** un flot continuel de Sagesse qui, dans son intérieur, devient **Amour,** et qui s'extériorise sous forme de Bonté. Le texte traditionnel affirme que cet Ange Gardien **sert** contre les sortilèges, malédictions (médisances), envoûtements; contre le mal, en général, et qu'on peut **l'utiliser** aussi pour faire triompher **tout** ce que nous entreprenons. Avoir cet Ange pour Gardien, c'est comme avoir une usine de transformation du Mal en Bien; une usine à fabriquer du succès. Aucune méchanceté, ou fait négatif ne pourra nuire à cette personne; ses ennemis se heurteront à un mur de protection invisible Il aura une vie pleine de prospérité et de richesse, par la Prière à son Gardien, dit le Texte Traditionnel, **surtout** dans le commerce maritime ou la pêche.

PRIÈRE A L'ANGE GARDIEN

DAMABIAH : Je veux connaître, Seigneur,
ton secret sur l'heureux alliage du Feu
et de l'Eau.
Je veux que tu m'apprennes à construire,
à édifier, à former, à créer, avec l'Eau
et le Feu, selon les règles du Maître
bâtisseur, Hiram de Tyr, et selon la sagesse
du Roi Salomon.
Je veux, Ange **DAMABIAH,** que ces connaissances
remplissent mes espaces intérieurs
pour y constituer une Mer calmée,
génératrice de force spirituelle.
Seigneur, place-moi à l'abri des tempêtes
passionnelles,
et fais-moi citoyen, à part entière,
de ton Univers d'Harmonie.

66 — MANAKEL

*Ange Gardien des personnes nées
entre le 15 et le 19 février*

Il est la **face** saturnienne du Chœur lunaire des Anges ; il imprime la Loi (Saturne) au Centre des Images (la Lune). Ce Gardien poussera son **protégé** vers des situations stables. Par sa modestie et son sérieux, il gagnera la confiance et la sympathie de tout le monde ; car, personne ne verra en lui un concurrent, mais celui qui est capable de nous seconder (le Texte Traditionnel le précise). Cet Ange Gardien permettra à la personne de **rester en place** (emploi, logement), et d'être utile de façon permanente. Il peut réussir en tant qu'administrateur de biens. Il sera aimé de sa famille, de ses chefs, des autorités. Il peut devenir Juge, Magistrat, par amour de ce qui est juste. Pour concrétiser, rapidement, tous ces succès vitaux, il conviendra d'invoquer **Manakel.**

PRIÈRE A L'ANGE GARDIEN

MANAKEL : Ange qui possède la Force qui change
les ténèbres en Lumière pure, aide-moi
à sortir de l'obscurité, de la médiocrité.
Permets que je puisse m'évader des situations
stationnaires, routinières ; et libère-moi
(tout autant) des préoccupations matérielles.

Aide-moi à découvrir, Ange **MANAKEL** !
ce qui est divin dans mon intérieur.
Montre-toi bienveillant envers ton **Protégé :**
guéris mes maux (physiques et moraux).
Aide-moi à être toujours aimable et gentil.
Éveille mon intuition pour que je comprenne
les messages que tu m'envoies dans mes rêves,
et aide-moi, aussi, à me débarrasser
de mes mauvaises qualités (physiques et
morales) ; afin qu'avec Toi, j'arrive à
réaliser pleinement mes projets de Vie.

67 — EYAEL

*Ange Gardien des personnes nées
entre le 20 et le 24 février*

Ce Gardien dispose des énergies de Jupiter, en plus de celles de son Chœur, qui émanent de la Lune par l'Archange **Gabriel.** Il communiquera au Centre des Images (à la Lune-intérieure) de ses **protégés,** une vision optimiste, plaisante, des choses de la Vie. **Eyael** est porteur de joie et de bonheur, même si la personne traverse une période difficile. Par l'influence de son Ange Gardien, la personne aura tendance à voir toujours le côté agréable et positif des événements. Le Texte Traditionnel dit que cet Ange Gardien **sert** pour tout changement, et pour avoir une longue Vie. En effet : l'énergie lunaire est celle des changements ; et l'énergie de Jupiter amplifie, augmente, tout. Bref ! la personne pourra vivre confortablement et répandre, autour d'elle, le bonheur paradisiaque que ce Gardien accorde. En outre, le texte traditionnel dit qu'elle peut avoir accès aux Sciences : la physique, la philosophie et l'astrologie.

PRIÈRE A L'ANGE GARDIEN

EYAEL : Ange de Vérité, aide-moi à
extérioriser, les valeurs spirituelles
que Dieu m'a confiées, par ton intermédiaire.
Fais que je sache discerner le vrai du faux,
et permets que, dans mon travail quotidien,
je puisse rendre témoignage de la Vérité,
de l'Harmonie, de la Sagesse, de la Beauté.
Rends-moi fort dans l'adversité,
et ne permets pas que mes lèvres prononcent
des paroles mensongères, pour échapper à
des situations embarrassantes.
Montre-moi, Ange **EYAEL,** le Chemin
de la Haute Science ; oui, prends-moi
par la main, et conduis-moi vers la réussite
spirituelle, morale, et aussi matérielle
(sentimentale, économique, familiale...) ;
oui, oui, libère-moi, Ange Tout-Puissant,
des servitudes matérielles, afin que je
puisse réaliser l'Œuvre que tu m'inspires !
Instruis-moi ! instruis-moi, sans cesse ;
déverse sur moi la Connaissance,
car je veux être un instrument efficace
de cette Création permanente
qu'est notre Monde.

68 — HABUHIAH

*Ange Gardien des personnes nees
entre le 25 et le 28/29 février*

Ange Gardien, qui dispose d'énergies de Mars, en plus de celles de la Lune (propres à son Chœur) ; énergies masculines et féminines, qui s'unissent avec harmonie pour produire des fruits. Ces fruits seront obtenus par le travail. Cet Ange peut nous faire réaliser une œuvre parfaite. Les images qu'il déposera à l'intérieur de ses **protégés,** pousseront au travail, car c'est l'effort qui offrira la réussite. Le travail doit devenir un but, un objectif ; il le deviendra, car il sera très rentable (cet Ange fait travailler, mais il fait obtenir, également, des **bénéfices considérables**) Cette abondance de résultats (économiques, sentimentaux, spirituels) seront obtenus dans le champ d'activités que la personne aura choisi ; là où elle se trouvera, tout sera rentable, tout donnera des fruits (même et surtout, dans le domaine agricole ou l'élevage).

PRIÈRE A L'ANGE GARDIEN

HABUHIAH : fais que ma Foi soit fertile.
Fais que Ta Lumière, accumulée dans mon
intérieur, soit si intense, qu'avec elle
je puisse rétablir la Santé (physique et
morale) chez les malades.
Fais que les tentations, que l'existence
me présente, servent à raffermir ma Foi,
et m'aident à acquérir une plus Haute
conscience des événements.
Ange **HABUHIAH,** donne-moi la force d'oser,
donne-moi le courage de faire face aux
dangers. Donne-moi Ta Lumière pour vaincre
mon obscurité, ma peur.
Conduis-moi avec main-forte, aux domaines
de la Vérité et de la Spiritualité ;
fais de moi un citoyen de ton Monde où,
déjà le doute n'existe plus, où
la réussite est évidente.
Permets-moi, Ange **HABUHIAH** que je sois
pour les autres et pour moi,
une Fontaine de santé de joie
d'amour et d'abondance.

69 — ROCHEL

Ange Gardien des personnes nées
entre le 1er et le 5 mars

Il est l'Ange solaire, du Chœur lunaire des Anges ; c'est par lui que les deux **luminaires** vivent une histoire d'Amour. Le Texte Traditionnel dit que ce Gardien est porteur d'une clarté immense qui permet de retrouver ce qui, jadis, a été perdu. **Ce qui a été perdu,** dans un sens philosophique, signifie notre autre nous-même : la partie qui a été démembrée lors de la séparation des sexes (les Humains avaient été créés Home-Femme, **hermaphrodites**). **Rochel,** selon le Texte Traditionnel, équilibre nos tendances intérieures (féminines et masculines) et, cela se manifestera extérieurement, par une grande renommée et une grande fortune. La personne pourra vivre en accord avec l'ordre divin ; elle travaillera pour que tout se développe en accord avec cet ordre ; elle peut réussir, donc, en s'occupant de successions, en tant que notaire, ou dans la solution de conflits, en tant qu'avocat, car elle a une connaisance profonde (innée) de la Loi et de l'Ordre.

PRIÈRE A L'ANGE GARDIEN

ROCHEL : Seigneur, tu vois tout, dans la
sublime mémoire des vies passées ; et je
te demande de m'accorder la force nécessaire
pour payer le mal que j'ai fait.
Je te demande de **transmuter**
la haine ancienne en amour désintéressé.

Vide mon âme de tout ce qui n'est pas droit,
de tout ce qui est misérable, pour que,
dans mes ténèbres, Ta Lumière puisse pénétrer.
Et lorsque tu auras effacé la dernière
goutte du calice de mon amertume,
alors permets-moi, Ange **ROCHEL,** de porter
témoignage de ta divine Sagesse, de ton
divin Pouvoir, de ton divin Amour, capable
d'accorder le pardon à tous mes errements
passés (dont je me repends).
Libre de tout passé sombre,
j'avance vers un avenir Lumineux,
par la grâce de mon Ange Gardien !

70 — JABAMIAH

*Ange Gardien des personnes nées
entre le 6 et le 10 mars*

Il est la **face** vénusienne du Chœur (lunaire) des Anges. **Il est le plus puissant de tous les Anges Gardiens,** du fait que les énergies de Vénus portent toutes celles de la Colonne de Droite de l'Arbre des Archanges et des Anges (page 12), et elles sont projetées par **Jabamiah** (au travers des énergies lunaires qu'il régente) sur la réalite matérielle de ses **protégés.** Le Texte Traditionnel indique qu'il **sert** pour faire réussir toute chose, concernant les humains, les animaux, les plantes et les minéraux ; il peut **TOUT,** même ressusciter les morts ! Et d'ailleurs, les **Initiés** savent que c'est **Jabamiah** qui est chargé d'orienter les premiers pas des défunts, lorsqu'ils arrivent à l'autre Monde. Par la **Prière** à cet Ange, ceux qui l'ont comme Gardien. peuvent devenir les **Maîtres du Monde.**

PRIÈRE A L'ANGE GARDIEN

JABAMIAH : Ange, producteur de toute chose,
fais de moi le réceptacle, conscient, de
ton Verbe (de ta vibration, de tes énergies).
Remplis-moi de Ta présence, afin que lorsque
la Société m'appellera à l'action, ce soit
Ta Force qui agisse, Ta Voix qui commande,
Ton divin Génie qui construise, qui édifie.
Régénère en moi, Ange **JABAMIAH,** tout ce
qui n'est pas en conformité avec la Loi
divine. Et garde-moi, Seigneur, de penser
que mes œuvres sont miennes car, en
réalité, je les ai réalisées grâce à Toi.
Permets que les circonstances me soient
propices, favorables à la réalisation de
mes projets, de mes souhaits, et place devant
moi les personnes qui conviennent pour faire
fructifier, pour faire réussir,
ce que, grâce a toi, je veux entreprendre.

71 — HAIAIEL

Ange Gardien des personnes nées
entre le 11 et le 15 mars

Il représente les énergies de Mercure, au sein du Chœur lunaire des Anges, régi par l'Archange **Gabriel.** Ce Gardien accorde à ses **protégés** une lucidité pénétrante ; il leur permet de tout voir clairement, et rapidement, le Bien et le Mal, sans se tromper. Discernement clair entre la vérité et l'erreur. Les **protégés** cet cet Ange Gardien seront des êtres intelligents, actifs, engagés, qui régleront leurs vies vers un dégagement, une libération, de tout ce qui est oppression, conditionnement, servitude. Les tendances perverses, les passions négatives, n'existeront pas chez ces personnes, ou pourront être **réduites,** par l'invocation de **Haiaiel.** Le Texte Traditionnel dit, que cet Ange Gardien **sert** pour faire carrière dans les armées, ou dans des professions où la mémoire joue un rôle important.

PRIÈRE A L'ANGE GARDIEN

HAIAIEL : Fais que ma nature émotive s'intègre
harmonieusement dans mon Corps Mental.
Ne laisse s'ancrer, s'enraciner, en
moi, (dans aucun recoin de mon être) rien
qui appartienne à mon passé.
Fais que mon cœur comprenne les raisons
de ma tête, afin que je puisse être libre,
et protégé, de toute violence.

Avec les dons et pouvoirs que tu m'accordes,
aide-moi, Ange **HAIAIEL,** à exprimer
la double Vérité, des Désirs et de
l'Entendement, de façon équilibrée
utile aux autres et à moi-même.
Je suis un parfait intermédiaire
entre le Seigneur du Ciel qui me Garde
(HAIAIEL) et les Humains de la Terre
(mes proches, mon entourage).
Par l'équilibre et la lucidité
que tu dois m'accorder, je vaincrai.

72 — MUMIAH

*Ange Gardien des personnes nées
entre le 16 et le 20 mars*

Mumiah est le régent des énergies lunaires, par excellence. Il est le premier **adjoint** de l'Archange **Gabriel,** et accorde à ses **protégés** la grâce et le pouvoir de terminer ce qu'ils ont commencé. Par lui, toute expérience (spirituelle, économique, sentimentale, professionnelle, intellectuelle), sera menée à bonne fin ; cela, à cause du pouvoir de cristallisation (de pétrification) que les énergies lunaires produisent, là où elles se manifestent. Ses **protégés** pourront exprimer leurs valeurs avec conviction ; toutes leurs actions iront droit au but, et l'atteindront. Ceux qui ont cet Ange pour Gardien, deviendront célèbres (soit dans leurs familles, dans leurs Villes, Régions, Pays...) à cause de l'intensité avec laquelle ils exprimeront leurs valeurs (leurs sentiments, leurs pensées) ; il leur sera impossible d'agir dans la discrétion. L'aide de ce Gardien est très efficace, mais jamais **modérée,** car il est un Ange très puissant.

PRIÈRE A L'ANGE GARDIEN

MUMIAH : Ange sublime des renaissances, des
réincarnations, et des changements.
Fais que, dans ma nature, fasse
irruption la divine chimère de l'**Or** ;
fais que la faim de Lumière, de Savoir,
de Pureté, puisse se condenser dans ma nature
psychique (dans mon âme) pour qu'elle
devienne la Mère féconde d'une vérité plus
Haute que mon être.

Fais renaître en moi
tous les principes
qui ont porté le Monde à sa plénitude,
afin que ton **protégé** et humble serviteur,
puisse être, pour les autres, le porteur
de ton renouveau ; porteur de santé et de
longue et heureuse Vie ; messager de tes
mystérieux dons et pouvoirs, qui
font de nous des êtres victorieux,
paisibles et pleins d'Amour.

TABLE

Prières à nos Anges Gardiens : des résultats spectaculaires, immédiats 7

L'affirmation de tous les Prophètes : « Demandez et l'on vous donnera » n'est pas une Fable ! 8

Les Saints Noms des Anges (les Archanges ; le Sexe des Anges) 9

Utilité de prendre le nom d'un Ange, comme deuxième Prénom 11

Tableau et Arbre des Anges et des Archanges 12

L'Ange Gardien de chaque personne selon sa date de naissance 14

Les Rythmes du Ciel et les Jours de la Semaine 21

Sommaire des Anges à qui nous pouvons adresser nos prières, en plus de notre Ange Gardien 22

Dons et Pouvoirs accordés à chaque personne par son Ange Gardien 24

Impression réalisée sur CAMERON par

BUSSIÈRE CAMEDAN IMPRIMERIES

CROUPE CPI

à Saint-Amand-Montrond (Cher)
en octobre 2002

Dépôt légal : octobre 2002.
Numéro d'impression : 024428/1.

Imprimé en France

Une relation complète des **dons et pouvoirs** que l'Ange gardien nous accorde pour notre réussite spirituelle, morale et matérielle.

L'Ange du Jour est un véritable guide qui ouvre la voie vers le meilleur chemin de vie possible. Une méthode simple et efficace destinée à s'assurer chaque jour la protection et les bienfaits des entités célestes.

CHEZ LE MÊME ÉDITEUR

HAZIEL. — **LES ANGES PLANÉTAIRES et les Jours de la Semaine — Comment profiter pleinement de leurs influences.**

Cet ouvrage comporte les explications, les Invocations et les Prières Incantoires, nécessaires pour entrer en harmonie, chaque Jour, chaque Semaine et chaque Mois avec les énergies Planétaires. Si notre intention est de réussir, d'être heureux, d'aimer et d'être aimés, ouvrons la porte aux énergies que les Angles Planétaires nous offrent. Ce calendrier précis des HEURES « MAGIQUES » PLANÉTAIRES nous indiquera le moment d'agir sous les auspices de l'Ange Planétaire le plus à même de nous faire réussir.

HAZIEL. — **LE GRAND LIVRE DES INVOCATIONS ET DES EXHORTATIONS. Prières adressées aux 72 Anges Servants ou Génies de la Cabale.**

Il faut savoir que les 72 Anges Servants, sont à la base de tout le savoir et de tous les pouvoirs que l'homme peut acquérir. Chaque être humain est aidé par TROIS ANGES, selon sa date de naissance. En les invoquant avec les mots indiqués et aux moments qu'il convient, on peut se mettre à l'unisson de leurs intensités vibratoires. Et ce GRAND LIVRE peut également servir de base pour la médiation des Groupes de Prière.

HAZIEL. — **RITUELS ET PRIÈRES. Pour toutes les situations de la vie. — Prévoir les événements — résoudre les difficultés — Guérir et aider — Obtenir les succès désirés.**

Cet ouvrage s'adresse à tous ceux qui cherchent à résoudre une situation difficile ou à réussir dans leurs projets. Simples et à la portée de tous, ces Rituels sont essentiels pour se relier aux puissances Célestes et adorer leur Majesté. Des Gestes Rituels, symboles de l'entrée dans le Temple Mystique, accompagnent les mots de pouvoir des Prières Inspirées.

Si le Lecteur souhaite aider un proche, il pourra utiliser ces Rituels et Prières grâce à l'INDEX qui signale l'utilisation précise pour chaque situation, les 365 situations prévues pour la Tradition.

La pratique de ces RITUELS ET PRIÈRES produira un intense progrès spirituel et matériel.

HAZIEL — CALENDRIER PERPÉTUEL de Prévisions Astrologiques.

Un livre **très pratique.** Un véritable **outil** pour lire votre avenir, pour connaître et choisir les moments favorables qui doivent vous conduire à la parfaite réalisation de vos projets, de vos souhaits en ce qui concerne **le travail, l'emploi, l'amour, l'amitié, la santé, l'argent...**

Vous trouverez, Signe par Signe, et jour par jour, en une seule phrase claire, l'indication des **Forces** qui agissent sur vous, et dont vous pouvez profiter, ainsi que celles qu'il faut éviter. **Cinq mille prévisions,** qui font de vous votre propre astrologue, et vous permettent d'obtenir des résultats évidents et durables, à tout moment, **toujours,** et à partir de n'importe quelle situation.

HAZIEL. — VICTOIRE SUR LES PUISSANCES DU MAL. Évocations pour attirer à soi l'Onde Bénéfique des Anges.

Dans cet ouvrage l'auteur nous donne un important témoignage concernant son PARCOURS SPIRITUEL. Évoquez le Bien dans votre for intérieur et l'ombre la plus noire en sera illuminée. Les Puissances du Mal doivent être détruites et transformées en Bien. LES ONDES BÉNÉFIQUES DES ANGES, anéantiront la puissance des esprits du mal.

HAZIEL. — UNE VIE CHANGÉE, HEUREUSE. Que dois-je faire ?

Ce nouveau livre, différent, impressionnera le lecteur. Les faits de société actuels, les grandes questions que se pose l'Homme d'aujourd'hui, y sont traités selon les points de vue de l'Ésotérisme. TRENTE-CINQ CHAPITRES passionnants, « autonomes », reliés entre eux uniquement par le souffle spirituel qui accorde au Lecteur un intense sentiment de stabilité, de sécurité, de sérénité qui, du fait de cette intériorisation, se manifestera par un embellissement, une amélioration, et un progrès continu dans la vie réelle (spirituelle, morale, sentimentale et matérielle). C'est un livre à lire et, **surtout,** à conserver précieusement, afin de pouvoir le consulter en toute circonstance.

HAZIEL, avec la collaboration d'ANNA ALBA — PRIÈRES POUR LA SANTÉ ET LA GUÉRISON.

Pour nous dégager de tout mal, de tout ce qui nous fait souffrir, de tout ce qui nous empêche de trouver notre paix intérieure, nos capacités d'action et de relation avec les autres. Un INDEX ALPHABÉTIQUE très complet des maladies, accompagne la liste des Prières pour se guérir ou guérir les autres.

On obtiendra, par ces prières, tous les résultats souhaités possibles.

HAZIEL. — CALENDRIER DES HEURES MAGIQUES ET DES LUNAISONS de 1191 à l'an 2000. Les Meilleurs moments pour agir.

Ce CALENDRIER nous guide dans notre parcours humain et nous fait savoir quels sont les jours fastes et nos périodes de réussite, concernant Santé, Amour, Connaissance de la Vérité, Réussite Sociale, Économique, Perfection, Bonheur...

L'accent est mis sur les PHASES LUNAIRES : Nouvelle
lune ● Premier Quartier ☽ Pleine Lune ○ Dernier Quartier ☾,
Nouvelle Lune suivante ; *jusqu'à L'AN 2000.*

Il s'agit du calendrier le plus précis, et le plus clair disponible
à ce jour.

HAZIEL. — **LE POUVOIR DES ARCHANGES – · Premières
Révélations sur leur Puissance et Prières initiatiques.**

Les Archanges ont le pouvoir de mobiliser des Forces (les
Anges) pour organiser, autour de nous, **les circonstances, les
situations, les opportunités favorables, providentielles,** qui doivent apporter la réussite de nos projets et de nos souhaits.

Ce livre nous fait **découvrir** ces pouvoirs. On pourra relire
souvent et utilement les différents **messages** adressés à chacun,
selon sa date de naissance, par chaque **Archange.**

Les **Prières Initiatiques** nous élèvent jusqu'à l'Archange, et
l'Être de Lumière peut **pleinement** nous aider.

Communiquer
avec son
Ange Gardien

QUAND ET COMMENT LE RENCONTRER

HAZIEL

EDITIONS ℬℬ BUSSIERE

POCHE

Chacun touvera dans ce livre de quoi méditer, réfléchir, s'enrichir intellectuellement, spirituellement, sentimentalement, matériellement.

Notre Ange Gardien est à l'affut, il souhaite **communiquer** avec nous plus que nous avec lui, il souhaite, plus que nous, notre réussite spirituelle et matérielle.

La **communication directe** avec son Ange Gardien ne dépend d'aucune intercession, ne nécessite aucune connaissance préalable.

A la suite de "Notre Ange Gardien existe", ce Livre apportera un nouvel éclairage à l'aventure de la réelle connaissance des Anges Gardiens.